Impressum
Verlag: BABADADA GmbH, Nedderfeld 112 , 22529 Hamburg
Geschäftsführer / Verlagsleitung: Harald Hof
Druck: Books on Demand GmbH, In de Tarpen 42, 22848 Norderstedt

Imprint
Publisher: BABADADA GmbH, Nedderfeld 112 , 22529 Hamburg, Germany
Managing Director / Publishing direction: Harald Hof
Print: Books on Demand GmbH, In de Tarpen 42, 22848 Norderstedt, Germany

Schule

duɗal

Ranzen

kartaabal

Federmappe

moftirdo kereyonji

Bleistift

kereyo

Bleistiftanspitzer

ceeɓnirgel kereyon

Radiergummi

momtirgel

Bildwörterbuch

diksiyoneer natal

Zeichenblock

alluwal ciifirgal

Zeichnung

ciifgol

Pinsel

limsere pentirteeɗo

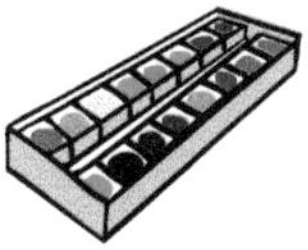

Malkasten

suwo pentirɗo

Schere

sisooji

Klebstoff

ɗakkorgal

Übungsheft

deftere ekkorgal

Hausaufgabe

golle janŋde

Zahl

niimara

addieren

ɓeydude

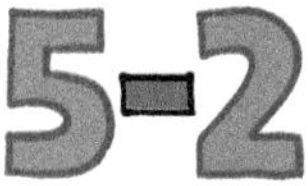

subtrahieren

ustude

multiplizieren

ɓeydude keeweendi

rechnen

qimaade

Buchstabe

ɓataake

ABCDEFG
HIJKLMN
OPQRSTU
VWXYZ

Alphabet

karfeeje

Wort

kongol

Text

bindol

lesen

jangude

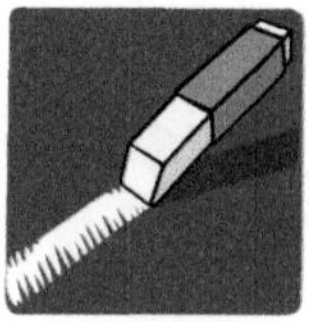

Kreide

bindirgal

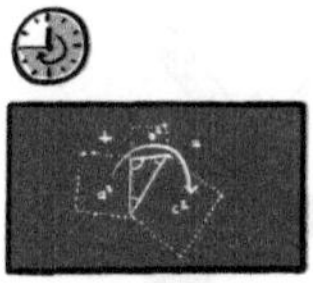

Stunde

darsu

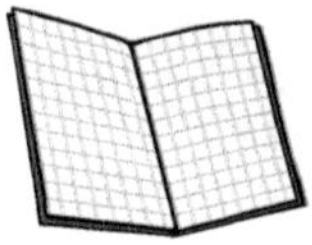

Klassenbuch

winditaade

Prüfung

egsame

Zeugnis

sartifika

Schuluniform

comcol duɗal

Ausbildung

jannde

Lexikon

ansikolopedi

Universität

duɗal jaaɓi haɗtirde

Mikroskop

mikoroskop

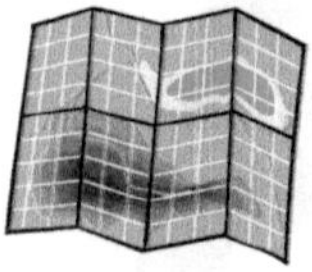

Karte

kartal

Papierkorb

suwo kurjut

Reise
ɗannagol

Sprache

ɗemngal

ja / nein

Eey / ala

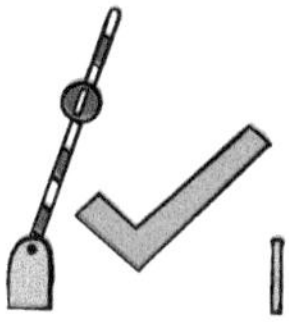

Okay

Moƴƴi

Hallo

mbaɗɗa

Übersetzer

pirtoowo

Danke

A jaraama

Was kostet…?

no foti…?

Ich verstehe nicht

Mi faamaani

Problem

hanmi

Guten Abend!

Jam hiri!

Guten Morgen!

Jam waali!

Gute Nacht!

Mbaalen e jam!

Auf Wiedersehen

ñande woɗnde

Richtung

laawol

Gepäck

bagaas

Tasche

saawdu

Rucksack

saawdu wambateendu

Gast

koɗo

Zimmer

suudu

Schlafsack

njegenaaw

Zelt

caalel ladde

Touristeninformation

kabaruuji tuurist

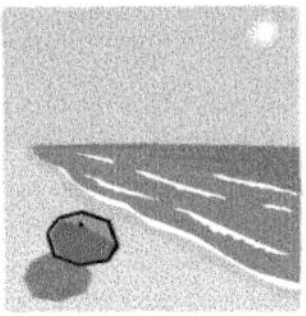

Strand

tufnde

Kreditkarte

kartal banke

Frühstück

kacitaari

Mittagessen

bottaari

Abendessen

hiraande

Fahrkarte

biye

Fahrstuhl

suutde

Briefmarke

tampon

Grenze

keerol

Zoll

duwaan

Botschaft

ambasad

Visum

wiisa

Pass

paaspoor

Transport
taraspoor

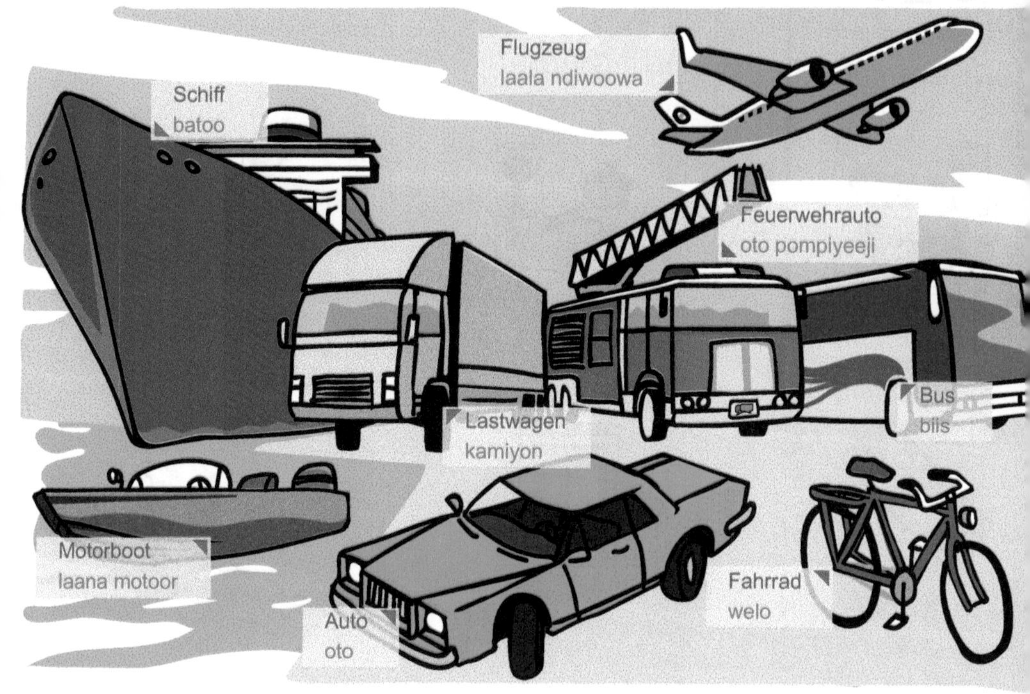

Fähre

batoo

Boot

laana

Motorrad

welo

Polizeiauto

oto polis

Rennauto

oto dogirteeɗo

Mietwagen

oto luwateeɗo

Carsharing

dendugol oto

Abschleppwagen

oto dandoowo goɗɗo

Müllauto

oto kurjut

Motor

motoor

Kraftstoff

karbiran

Tankstelle

nokku esaans

Verkehrsschild

tintinooje yaangarta

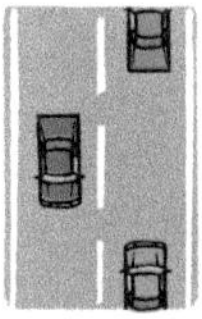

Verkehr

yaa ngarta

Stau

jiiɓo yaa ngarta

Parkplatz

dingiral otooji

Bahnhof

dingiral laana leydi

Schienen

laaɓi

Zug

laana leydi

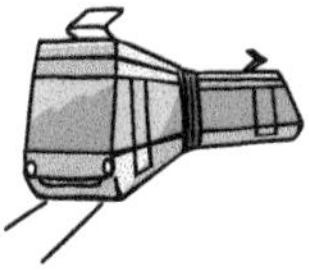

Straßenbahn

laana ndegoowa

Wagon

saret

Helikopter

elikopteer

Flughafen

ayrepoor

Tower

tuur

Passagier

wonɓe e laana

Container

konteneer

Karton

karton

Karren

duñirgel kaake

Korb

basket

starten / landen

diwde / juuraade

Stadt

wuro mowngu

Dorf

wuro

Stadtzentrum

hakkunde wuru wowngo

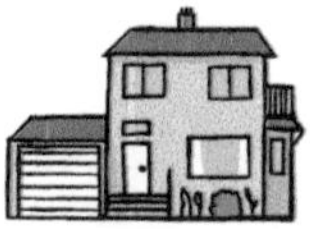

Haus

galle

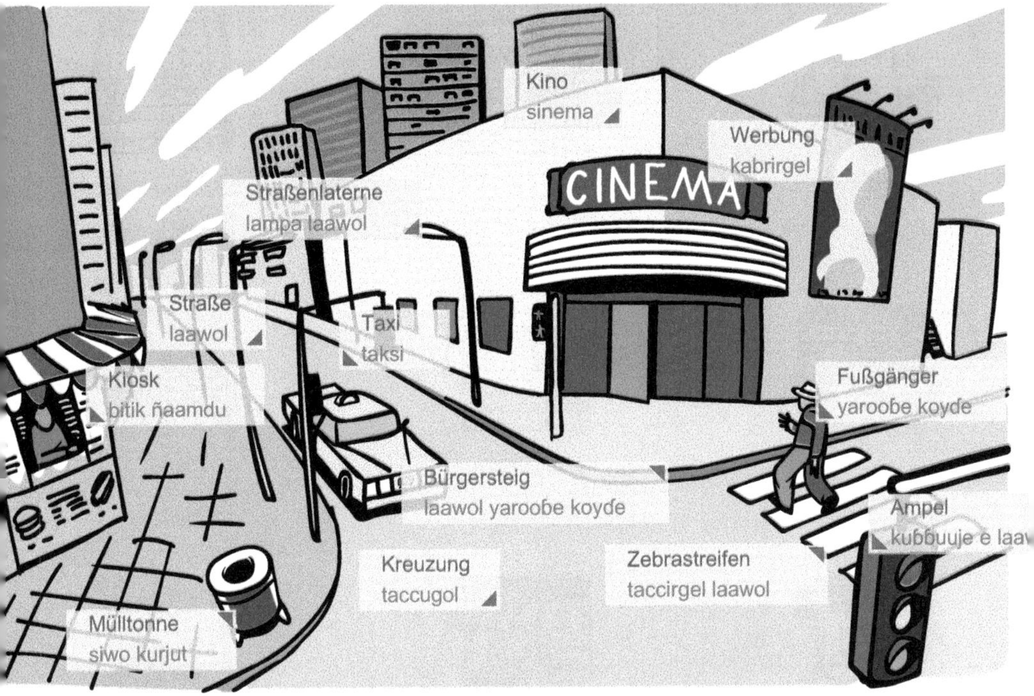

Hütte

tiba

Wohnung

ko foti

Bahnhof

dingiral laana leydi

Rathaus

meeri

Museum

miise

Schule

duɗal

Universität

duɗal jaaɓi haɗtirde

Bank

banke

Krankenhaus

suudu safirdu

Hotel

otel

Apotheke

farmasi

Büro

gollirgal

Buchhandlung

suudu defte

Geschäft

bitik

Blumenladen

jeyoowo fuloraaji

Supermarkt

sipermarse

Markt

jeere

Kaufhaus

madase mawɗo

Fischhändler

jeyoowo liɗɗi

Einkaufszentrum

nokku coodateeɗo

Hafen

poor

Park

park

Bank

jooɗorgal

Brücke

taccirgal

Treppe

ŋabbirɗe

U-Bahn

laawol metero

Tunnel

laawul les leydi

Bushaltestelle

fongo biis

Bar

baar

Restaurant

restora

Briefkasten

buwaat postaal

Straßenschild

lewñowel laawol

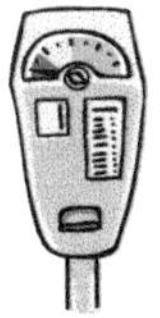

Parkuhr

to otooji ndaroto

Zoo

nokku kullon

Badeanstalt

pisin

Moschee

jama

Bauernhof

ngesa

Umweltverschmutzung

gakkingol hendu

Friedhof

bammule

Kirche

egiliis

Spielplatz

dingiral

Tempel

tampl

Landschaft

yiyande taariinde

Tal

okku kaañe mawɗe to ndiyam dogata

Berg

waande

See

weedu

Wald

ladde

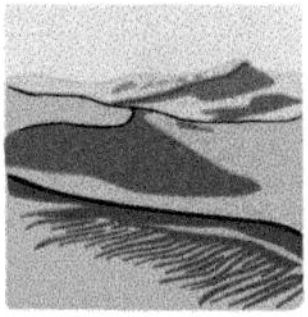

Wüste

ladde yoornde

Vulkan

wolkan

Schloss

satoo

Regenbogen

timtimol

Pilz

sampiñon

Palme

leki palm

Moskito

ɓowngu

Fliege

diwde

Ameise

njabala

Biene

mbuubu ñaak

Spinne

njabala

Käfer

hoowoyre keppoore

Frosch

faabru

Eichhörnchen

doomburu ladde

Igel

sammunde

Hase

fowru

Eule

pubbuɓal

Vogel

colel

Schwan

kakeleewal ladde

Wildschwein

mbabba tugal

Hirsch

lella

Elch

Nagge nde gallaɗi cate

Staudamm

baraas

Windrad

masiŋel battowel hendu jeynge

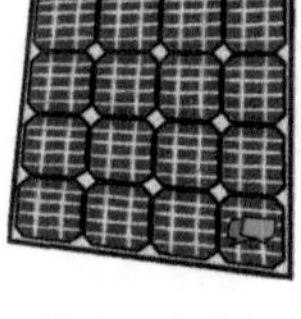

Solarmodul

Lowowel nguleeki

Klima

kilima

Restaurant
restora

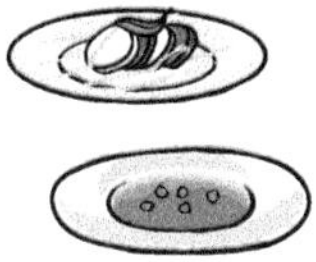

Vorspeise
....
tongitirgel

Hauptgericht
....
ñaamdu nguraandi

Nachspeise
....
tuftorogol

Getränke
....
njaram

Essen
....
ñaamdu

Flasche
....
butel

Fastfood

fast fud

Streetfood

ñaamdu laawol

Teekanne

baraade

Zuckerdose

cupayel suukara

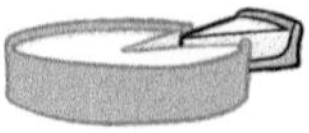

Portion

geɗel

Espressomaschine

Masinŋ kafe

Hochstuhl

jooɗorgal toowngal

Rechnung

biye

Tablett

ñorgo

Messer

paaka

Gabel

furset

Löffel

kuddu

Teelöffel

nokkere kuddu

Serviette

sarbet

Glas

weer

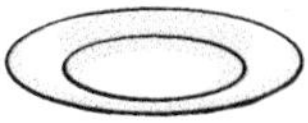

Teller

palaat

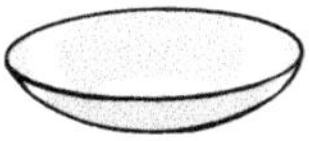

Suppenteller

palaat suppu

Untertasse

cupayel

Sauce

soos

Salzstreuer

pot lamɗam

Pfeffermühle

moññirgal poobar

Essig

bineegara

Öl

nebam

Gewürze

kaaɗnooje

Ketchup

ketsap

Senf

muttard

Mayonnaise

mayonees

Supermarkt
sipermarse

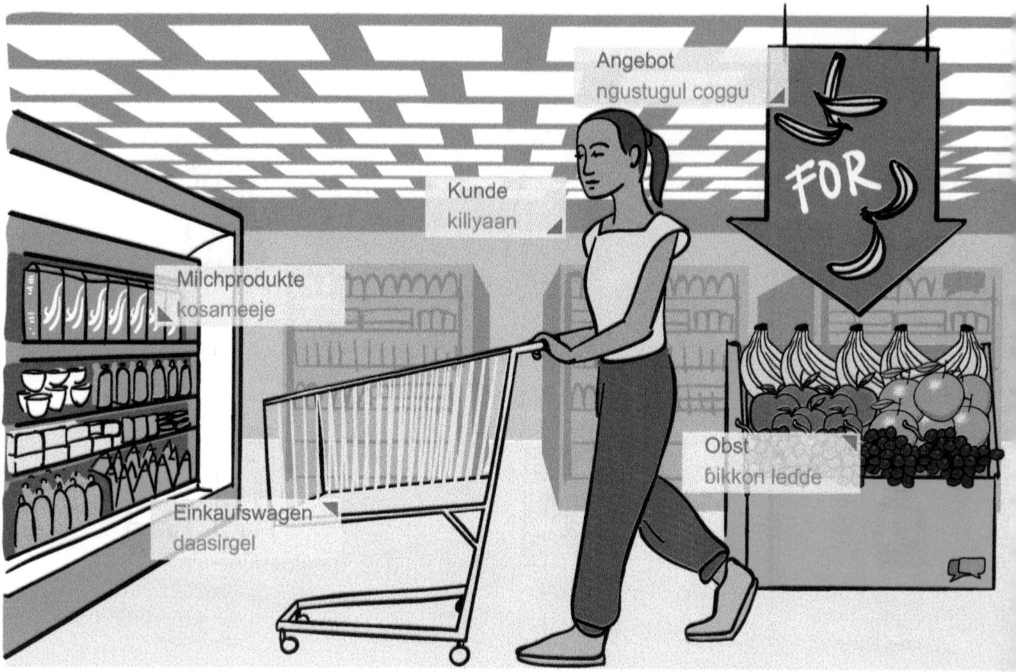

Schlachterei

jeyoowo teew nagge

Bäckerei

juɗoowo mburu

wiegen

ɓetde

Gemüse

lijim

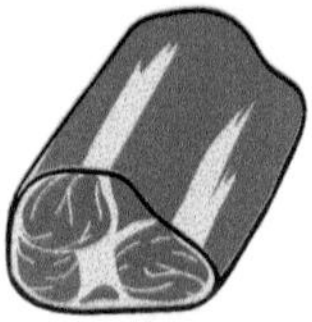

Fleisch

teew

Tiefkühlkost

ñaamdu ɓumnaandu

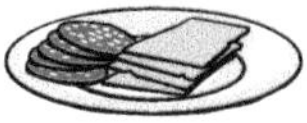

Aufschnitt

teew moftaaɗo

Konserven

ñaamdu nder buwat

Waschmittel

condi lawyirteendu

Süßigkeiten

bonboonji

Haushaltsartikel

geɗe ngurdaaɗe

Reinigungsmittel

porodiwiiji laaɓnirni

Verkäuferin

julaaajo

Kasse

haa

Kassierer

kestotooɗo

Einkaufsliste

limto coodateeɗi

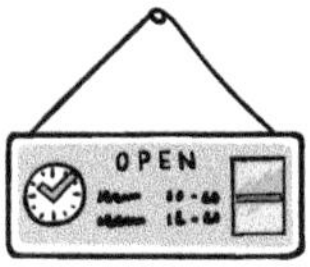

Öffnungszeiten

waktuuji golle

Brieftasche

kalbe

Kreditkarte

kartal banke

Tasche

saak

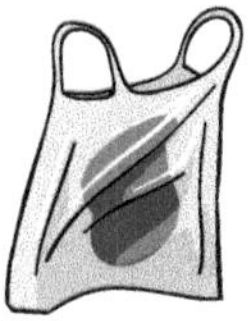

Plastiktüte

saak dalli

Getränke

njaram

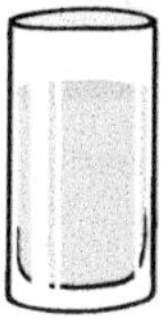

Wasser

ndiyam

Saft

njaram

Milch

kosam

Cola

ƴulmere

Wein

sangara

Bier

sangara

Alkohol

sangara

Kakao

kakao

Tee

ataaya

Kaffee

kafe

Espresso

kafe jon jooni

Cappuccino

kafe italinaaɓe

Essen
ñaamdu

Banane

banaana

Apfel

pom

Orange

oraas

Melone

dende

Zitrone

limonŋ

Karotte

karot

Knoblauch

laay

Bambus

lekki bambu

Zwiebel

basalle

Pilz

sampiñon

Nüsse

gerte

Nudeln

espageti

Spaghetti

espageti

Reis

maaro

Salat

salaat

Pommes frites

firit

Bratkartoffeln

faatat cahaaɗo

Pizza

pidsa

Hamburger

amburgeer

Sandwich

sandiwis

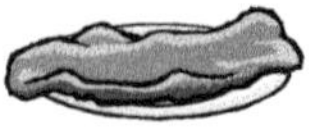

Schnitzel

buhal baddangal e lijim

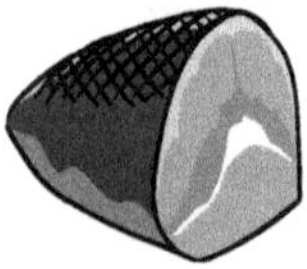

Schinken

buhal teew

Salami

kaane biyeteeɗo sosison

Wurst

sosis

Huhn

gertogal

Braten

defaɗum

Fisch

liingu

Haferflocken

ndefu gabbe kuwakeer

Müsli

njilɓundi aɓuwaan e gabbe goɗɗe

Cornflakes

kornfelek

Mehl

farin

Croissant

kurwasa

Brötchen

pe o le

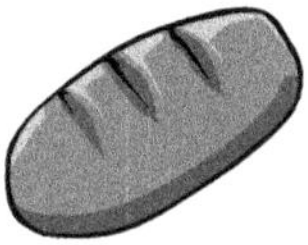

Brot

mburu

Toast

mburu juɗaaɗo

Kekse

mbiskit

Butter

nebam boor

Quark

kosam kaaɗɗam

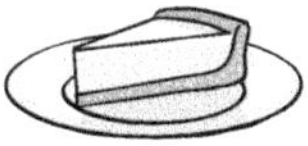

Kuchen

gato

Ei

ɓoccoonde

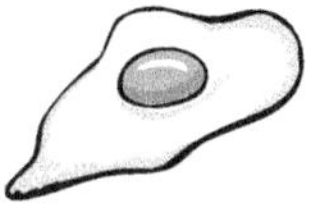

Spiegelei

moccoonde fasnaande

Käse

foromaas

Eiscreme

kerem galaas

Zucker

suukara

Honig

njuumri

Marmelade

teew nagge

Nougat-Creme

nirkugol sokkola

Curry

suppu kaane

Bauernhof

ngesa

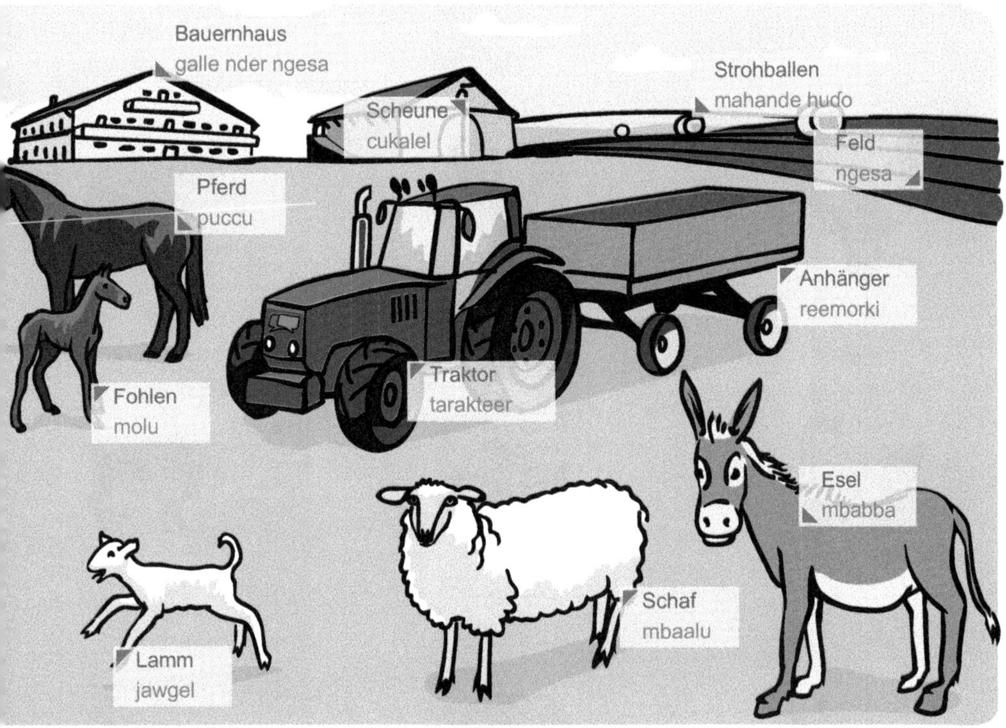

Ziege

ndamdi

Kuh

nagge

Kalb

mbeewa

Schwein

mbabba tugal

Ferkel

ɓingel mbabba tugal

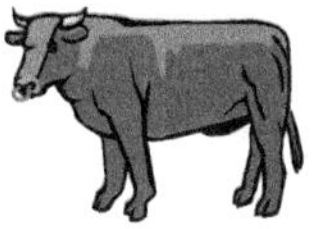

Bulle

ngaari ladde

Gans

jarlal ladde

Ente

gerlal

Küken

cofel

Huhn

jarlal

Hahn

ngori

Ratte

doomburu

Katze

ullundu

Maus

doomburu

Ochse

nagge

Hund

rawaandu

Hundehütte

nokku dawaaɗi

Gartenschlauch

tiwo sardin

Gießkanne

doosirgal

Sense

wofdu mawndu

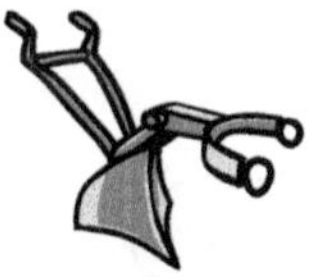

Pflug

masinŋ demoowo

Sichel

wofdu

Hacke

coppirgal

Mistgabel

rato

Axt

hakkunde

Schubkarre

buruwet

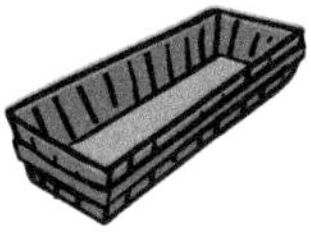

Trog

mbalka

Milchkanne

kosam buwat

Sack

saak

Zaun

kalasal galle

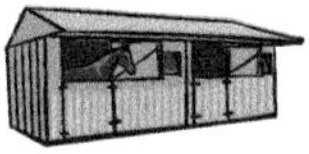

Stall

nokku pucci

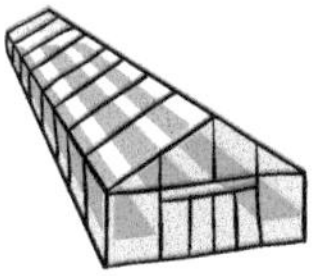

Treibhaus

inexistant

Boden

leydi

Saat

abbere

Dünger

nguurtinooje leydi

Mähdrescher

masinŋ coñirteeɗo

ernten

soñde

Ernte

soñde

Yamswurzel

ñambi

Weizen

bele

Soja

soja

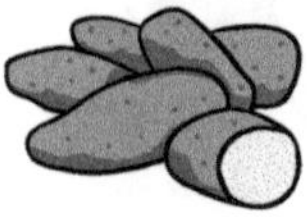

Kartoffel

faatat

Mais

maka

Raps

abbere lekki kolsa

Obstbaum

lekki firwiiji

Maniok

ñambi

Getreide

sereyaal

Haus
galle

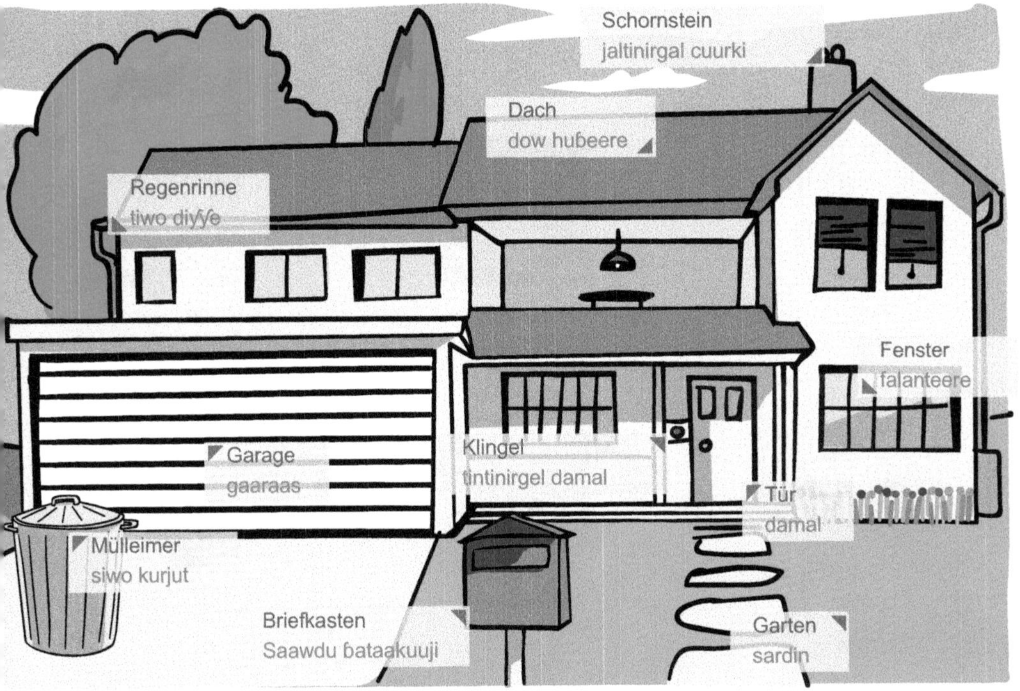

Wohnzimmer

suudu yeewtere

Badezimmer

tarodde

Küche

waañ

Schlafzimmer

suudu waalduru

Kinderzimmer

suudu sakaaɓe

Esszimmer

suudu hiraande

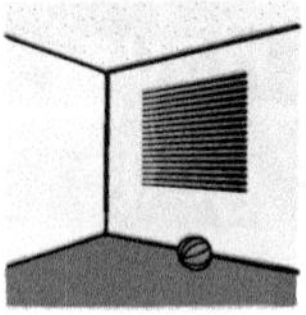

Boden

karawal

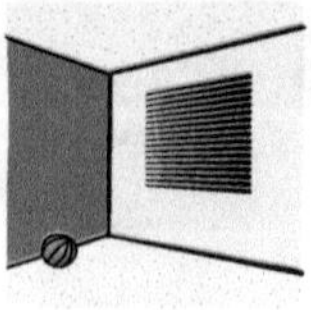

Wand

ɓalal

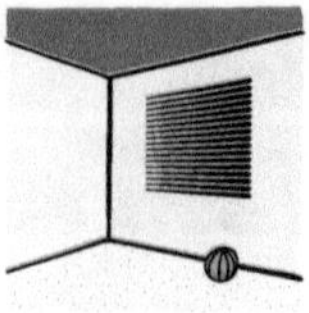

Decke

asamaan suudu

Keller

faawru

Sauna

soona e ɗemngal farase

Balkon

balko

Terrasse

teeraas

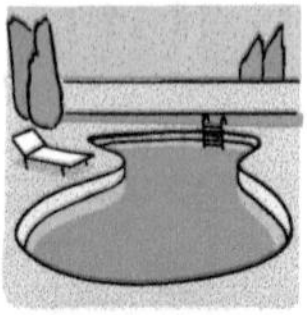

Schwimmbad

pisin

Rasenmäher

keefoowo huɗo

Bettbezug

darap

Bettdecke

darap

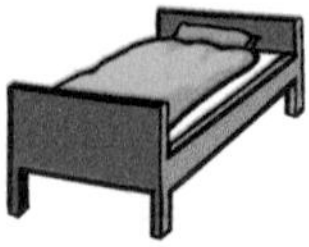

Bett

leeso

Besen

pittirgal

Eimer

suwo

Schalter

ñifirgel

Wohnzimmer
suudu yeewtere

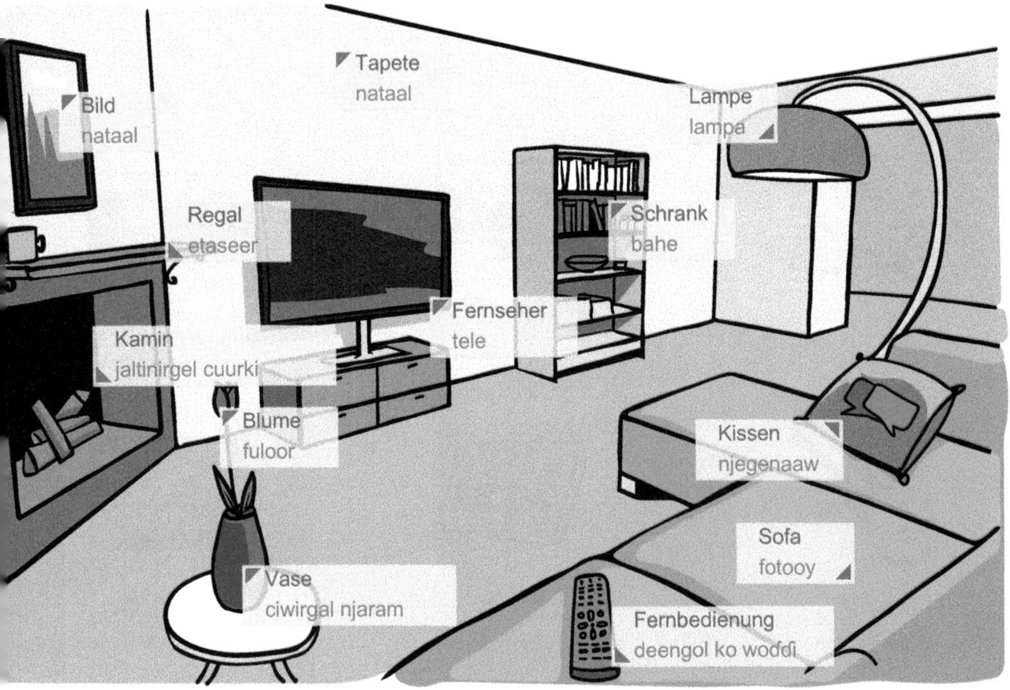

Teppich

tappi

Vorhang

rido

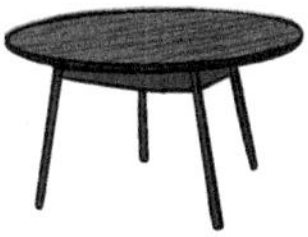

Tisch

taabal

Stuhl

jooɗorgal

Schaukelstuhl

jooɗorgal timmungal

Sessel

jooɗorgal tuggateengal

Buch

deftere

Decke

cuddirgal

Dekoration

jooɗnugol

Feuerholz

leɗɗe kuɓɓateeɗe

Film

filmo

Stereoanlage

materiyel hi-fi

Schlüssel

coktirgal

Zeitung

kaayit kabaruuji

Gemälde

pentirgol

Poster

posteer

Radio

rajo

Notizblock

teskorgel

Staubsauger

ɓoɗowel pusiyeer

Kaktus

kaktis

Kerze

sondel

Küche
waañ

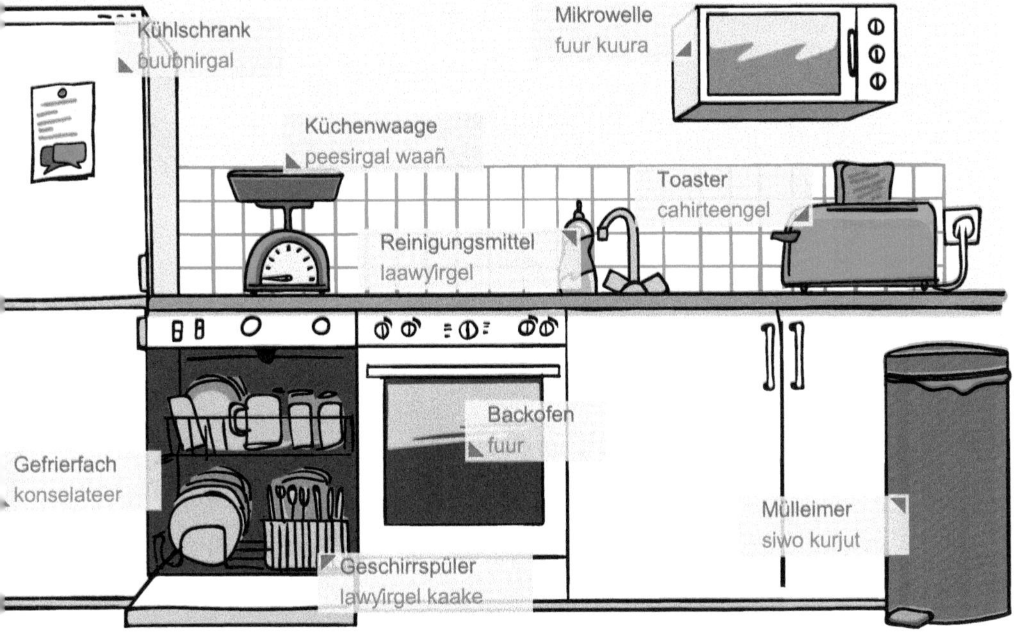

Herd
fuurno

Topf
pot

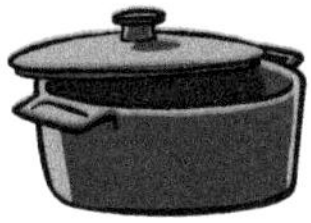
Eisentopf
barme

Wok / Kadai
kasorol

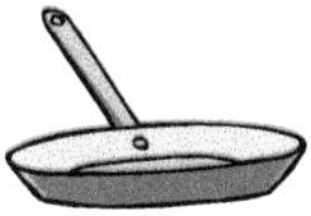
Pfanne
kasorol

Wasserkocher
satalla

Dampfgarer

suppere defirteende

Backblech

pool defirteeɗo

Geschirr

lawyƴugol kaake

Becher

pot jarduɗo

Schale

suppeere

Essstäbchen

ñiɓirgon ñaamdu

Suppenkelle

kuddu luus

Pfannenwender

kayit ɗakirteeɗo

Schneebesen

iirtude

Kochsieb

ceɗirgel

Sieb

tame

Reibe

keefirgel

Mörser

moññirgal

Grill

juɗgol

Feuerstelle

jeyngol e henndu

Schneidebrett

coppirgal

Nudelholz

degnirgel ñaamdu feewnateendu

Korkenzieher

udditirgel butel

Dose

buwaat

Dosenöffner

udditirgel buwat

Topflappen

nangirgel pot

Waschbecken

siimtude

Bürste

boros

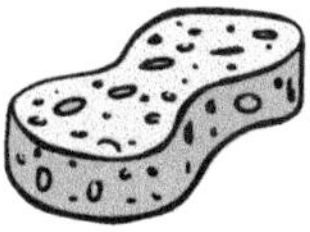

Schwamm

eppoos

Mixer

jiiɓirgel

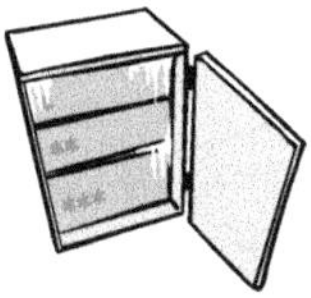

Gefriertruhe

battowel galaas

Babyflasche

jardugel tiggu

Wasserhahn

robine

Badezimmer

tarodde

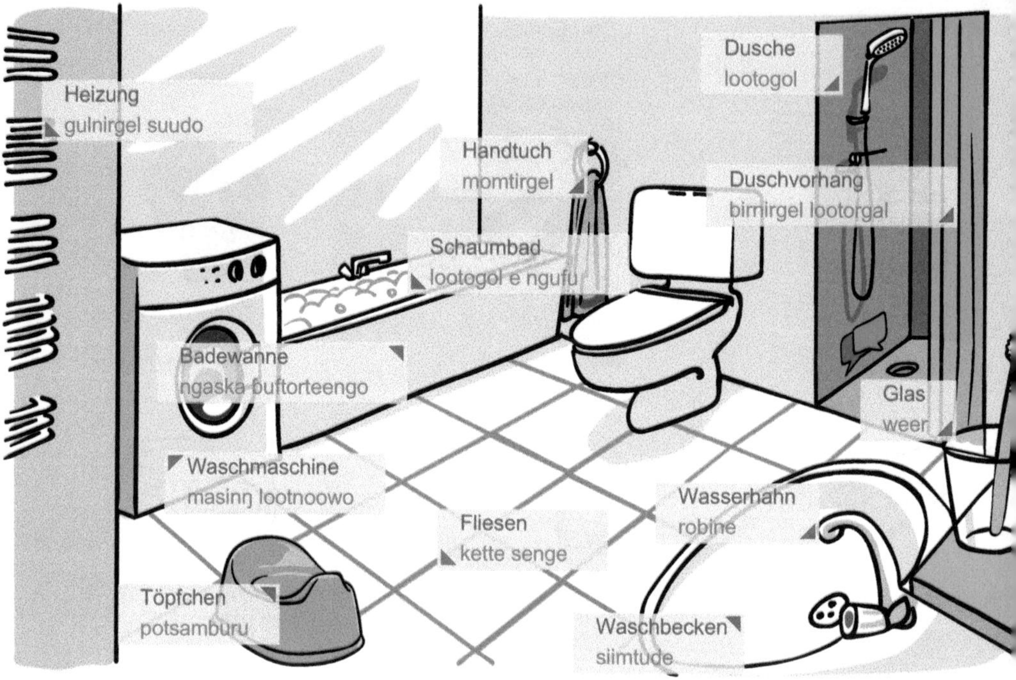

Toilette

taarorde

Hocktoilette

joɗorgal kuwirteengal

Bidet

biisirgel ndiyam

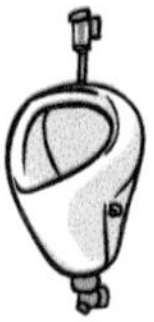

Pissoir

taarodde

Toilettenpapier

kaayit momtirɗo

Toilettenbürste

boros taarorde

Zahnbürste

....

coccorgal ƴiiye

Zahnpasta

....

sabunde ƴiiye

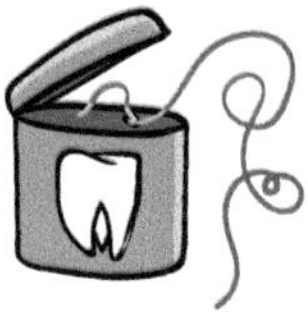

Zahnseide

....

gaarowol ñiire

waschen

....

lawyude

Handbrause

....

ɓoggol lootirteengol

Intimdusche

....

ɓuftogol

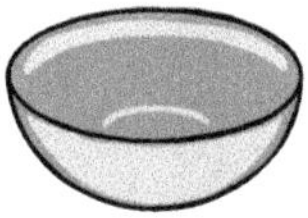

Waschschüssel

....

loowirteengel

Rückenbürste

....

demirgel huɗo

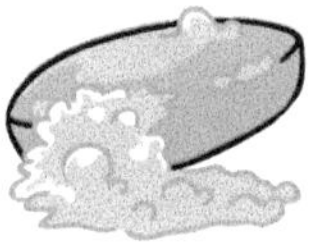

Seife

....

sabunnde

Duschgel

....

saabunde ɓuftorteende

Shampoo

....

sampoye

Waschlappen

....

limsere wiro

Abfluss

....

ciiygol

Creme

....

kerem

Deodorant

....

uurnirgel

Spiegel

daandorgal

Kosmetikspiegel

daandorgal pamoral

Rasierer

pembirgel

Rasierschaum

ngufu pembol

Rasierwasser

moomiteengel pembol

Kamm

yeesoode

Bürste

boros

Föhn

joornirgel sukunndu

Haarspray

peewnirgel sukunndu

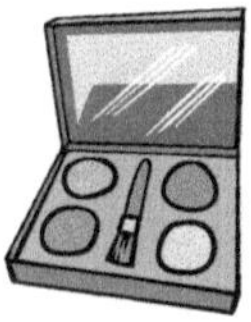

Makeup

makiyaas

Lippenstift

jooɗirgel toni

Nagellack

momtirgel cegeneeji

Watte

garowol wiro

Nagelschere

siso cegeneeji

Parfum

parfon

Kulturbeutel

waxande lootorgal

Hocker

kuudi

Waage

peesirgal

Bademantel

wutte cuftorteeɗo

Gummihandschuhe

gaŋuuji dalli

Tampon

momtirer ƴiiƴam ella

Damenbinde

kuus tiggu

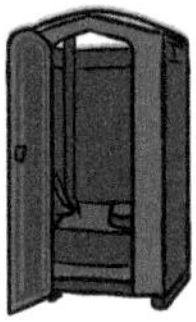

Chemietoilette

lootogol simik

Kinderzimmer
suudu sakaaɓe

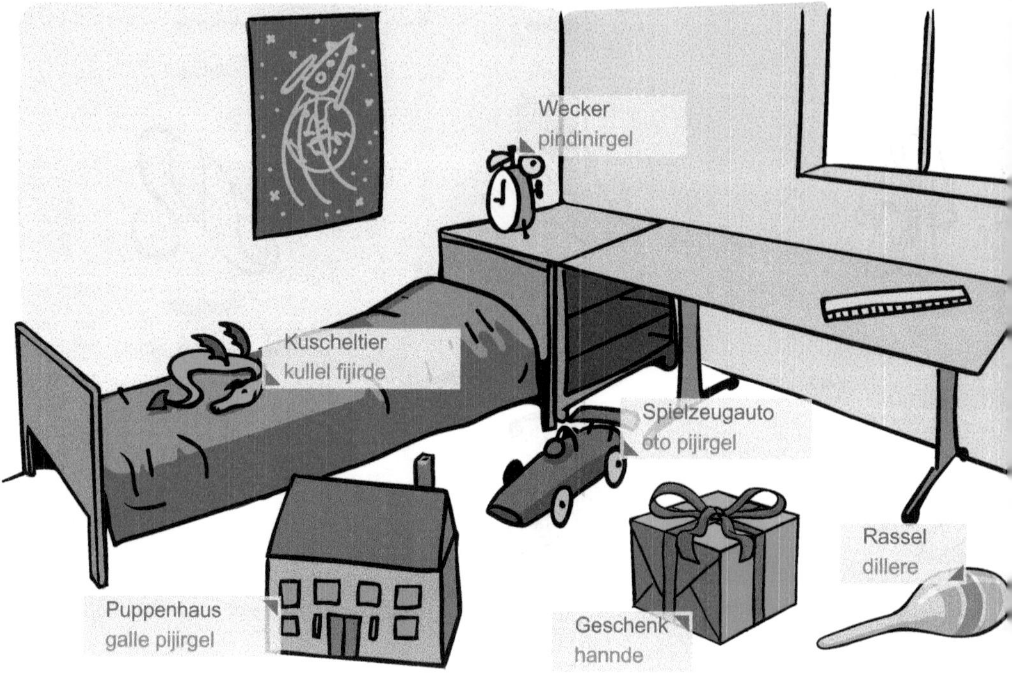

Ballon

sumalle dalli

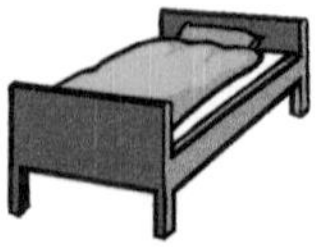

Bett

leeso

Kinderwagen

duñirgel tiggu

Kartenspiel

nokkere karte

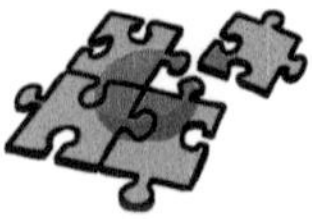

Puzzle

fijirde lombondirgol

Comic

njalniika

Legosteine

pijirgel tuufeeje

Bausteine

tuufeeje

Action Figur

pijirgel

Strampelanzug

comcol tiggu

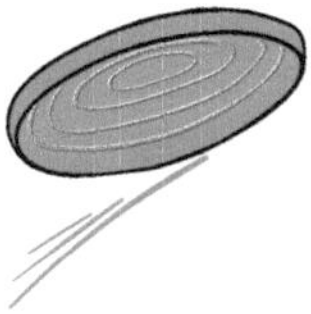

Frisbee

palaat diwwoow

Mobile

noddirgel

Brettspiel

pijirgel

Würfel

dee

Modelleisenbahn

ñemtinirgel laana ndegoowa

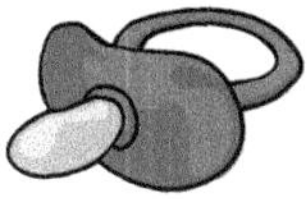

Schnuller

neɗɗo fuuunti

Party

fijirde

Bilderbuch

deftere nate

Ball

bal

Puppe

puppe

spielen

fijde

Sandkasten

mbalka ceenal

Schaukel

beeltirgal

Spielzeug

pijirgel

Spielkonsole

pijiteengel see widewo

Dreirad

welo biifi tati

Teddy

pijirgel kullel urs

Kleiderschrank

armuwaar

Kleidung
comcol

Socken

kawase

Strümpfe

kawase

Strumpfhose

tuubayon ɓittukon

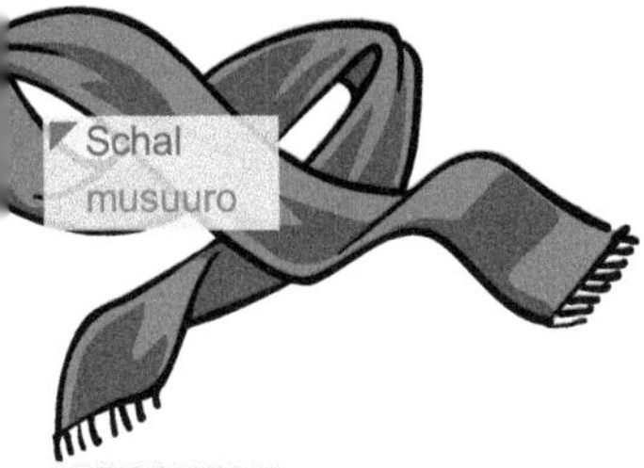

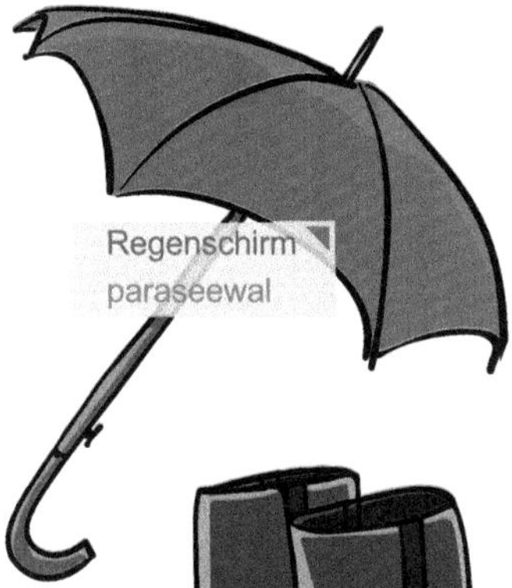

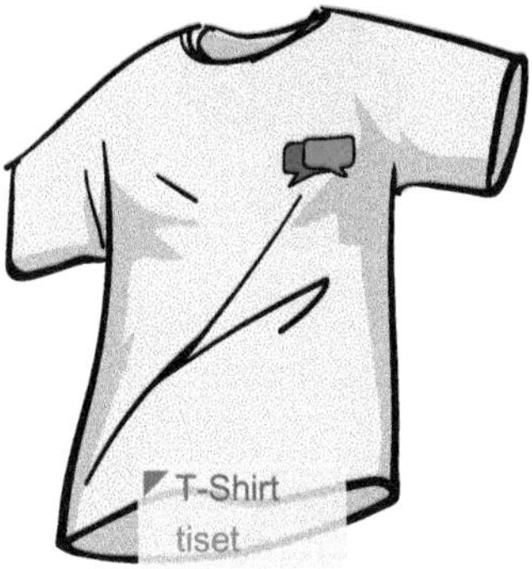

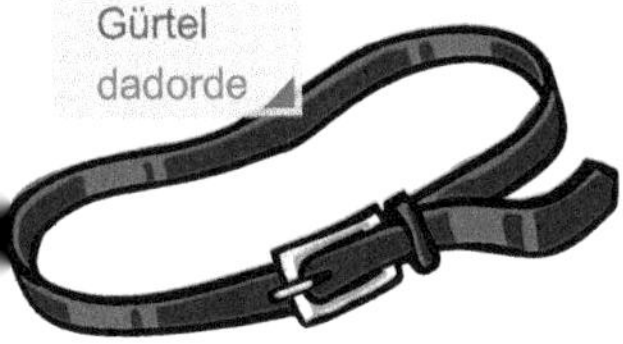

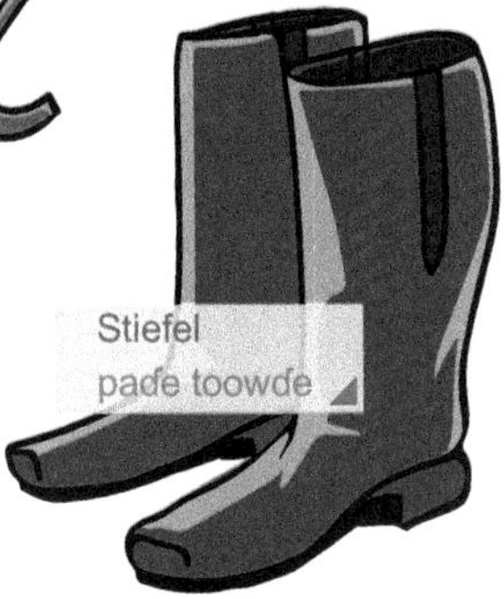

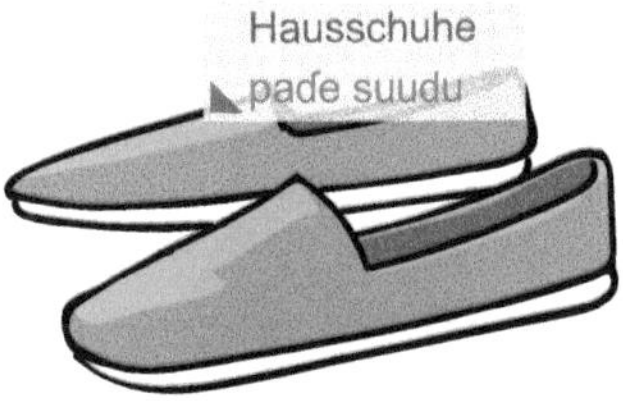

Sandalen

paɗe diwa

Schuhe

paɗe

Gummistiefel

paɗɗe toowɗe lirotooɗe

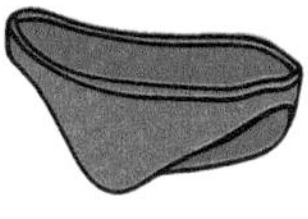

Unterhose

cakkirɗi

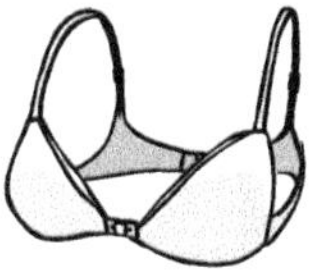

Büstenhalter

sucengors

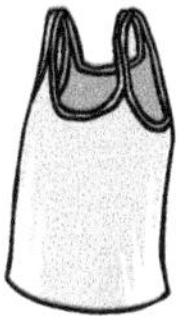

Unterhemd

silet

Body

ɓanndu

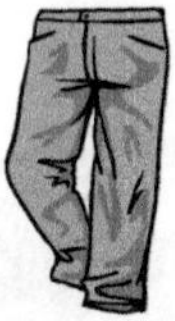

Hose

tuuba

Jeans

jiin

Rock

robbo

Bluse

buluson

Hemd

simis

Pullover

piliweer

Kapuzenpullover

weste nebbu

Blazer

layset

Jacke

jaget

Mantel

weste juuɗɗo

Regenmantel

wutte toɓo

Kostüm

kostim

Kleid

robbo

Hochzeitskleid

robbo yange

Anzug

weste

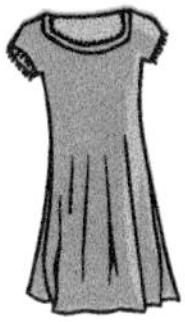

Nachthemd

wutte baalduɗo

Schlafanzug

pijama

Sari

sari

Kopftuch

muusooro

Turban

kaala

Burka

kaala

Kaftan

sabndoor

Abaya

abbaay

Badeanzug

comcol lumbirogol

Badehose

cakkirɗi

Kurze Hose

kilot

Trainingsanzug

joogin

Schürze

limsere deffowo

Handschuhe

gaŋuuji

Knopf

ɓoɗɗirgel

Brille

lone

Armband

jawo

Halskette

cakka

Ring

feggere

Ohrring

hootonde

Mütze

laafa

Kleiderbügel

liggirgal weste

Hut

laafa

Krawatte

karawat

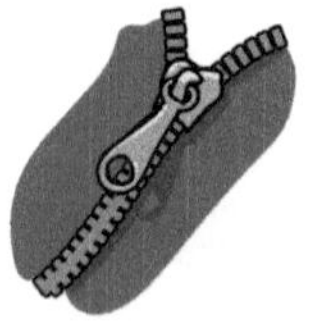

Reißverschluss

zip

Helm

laafa ndeenka

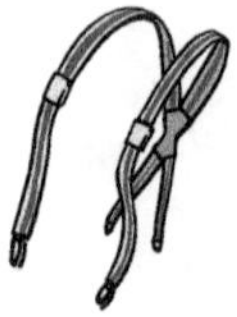

Hosenträger

ganŋ

Schuluniform

comcol duɗal

Uniform

iniform

Lätzchen

sarbetel daande

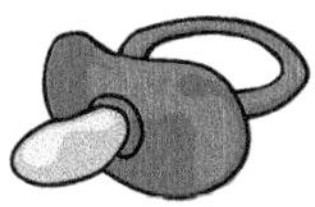

Schnuller

neɗɗo fuuunti

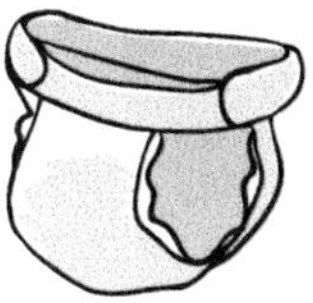

Windel

kuus

Büro

gollirgal

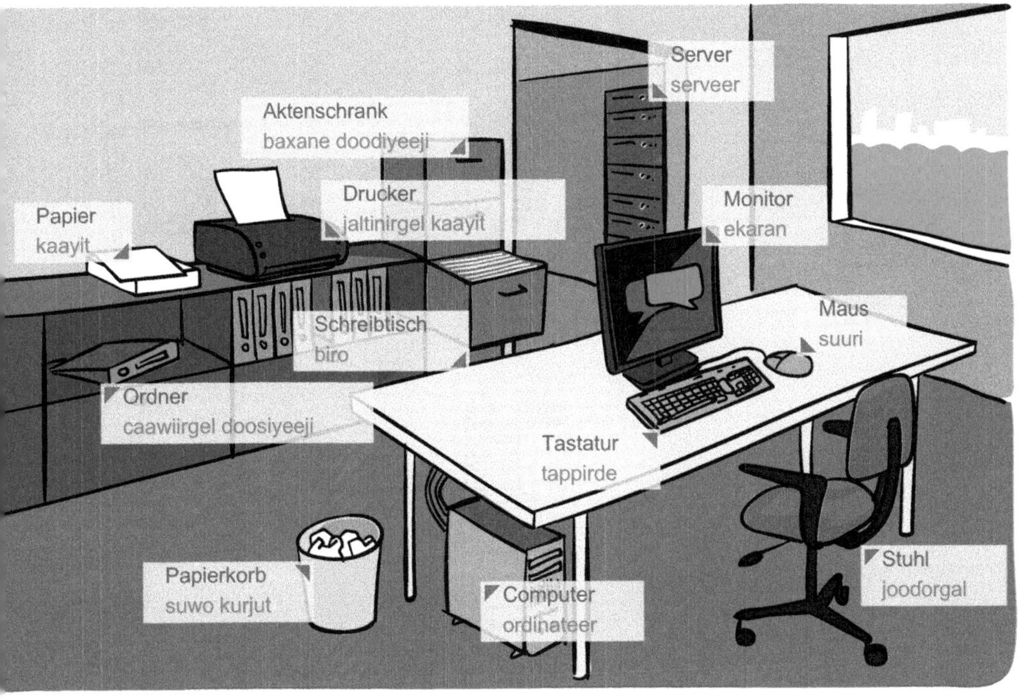

Kaffeebecher

kuppu kafe

Taschenrechner

qiimorgal

Internet

enternet

Laptop

ordinateer beelnateeɗo

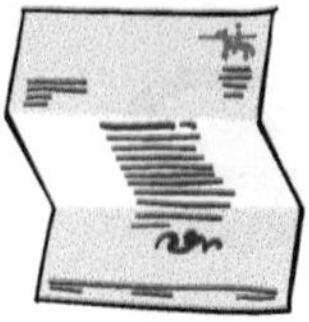

Brief

ɓataake

Nachricht

ɓataake

Handy

noddirgel

Netzwerk

reso

Kopierer

cottitirgel

Software

losisiyel

Telefon

noddirgel

Steckdose

ceŋirgel ɓoggol kuura

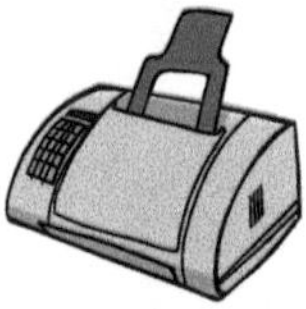

Fax

masinŋ faks

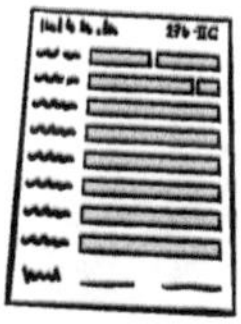

Formular

mbaadi

Dokument

dokiman

Wirtschaft
faggudu

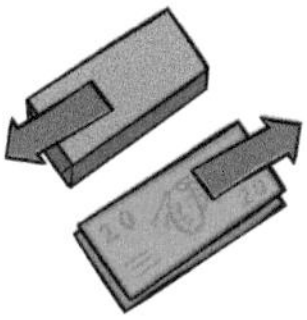

kaufen

soodde

bezahlen

sooɗde

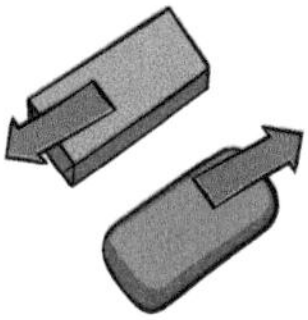

handeln

yeyde

Geld

kaalis

Dollar

dolaar

Euro

eroo

Yen

yen

Rubel

ruubal

Franken

faran Siwis

Renminbi Yuan

yuwaan renminbi

Rupie

rupii

Geldautomat

masinŋ keestorɗo kaalis

Wechselstube

nokku beccugol e neldugol

Gold

kanŋe

Silber

kaalis

Öl

esaans

Energie

sembe

Preis

coggu

Vertrag

kontara

Steuer

taks

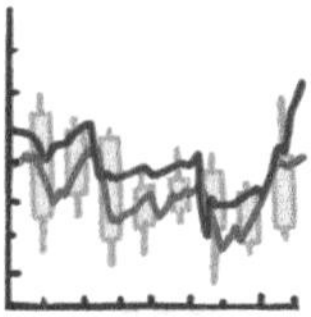

Aktie

marsandiss moftaaɗo

arbeiten

gollude

Angestellter

gollinteeɗo

Arbeitgeber

gollinoowo

Fabrik

isin

Geschäft

bitik

Berufe
haajuuji

Gärtner

toppitiiɗo sardin

Tischler

minise

Näherin

ñootoowo

Richter

ñaawoowo

Chemiker

simist e ɗemngal farayse

Schauspieler

aktoor

Busfahrer

dognoowo biis

Taxifahrer

dognoowo taksi

Fischer

gawoowo

Putzfrau

pittoowo

Dachdecker

cengirɗe huɓeere

Kellner

carwoowo

Jäger

daddoowo

Maler

pentiroowo

Bäcker

piyoowo mburu

Elektriker

gollowo kuura

Bauarbeiter

mahoowo

Ingenieur

enseñeer

Schlachter

jeyoowo teew keso

Klempner

polombiyer

Postbote

nawoowo ɓatakuuji

Soldat

kooninke

Architekt

diidoowo ɓahanteeri

Kassierer

kestotooɗo

Florist

jeyoowo fuloraaji

Friseur

mooroowo

Schaffner

dognoowo

Mechaniker

mekanisiyenŋ

Kapitän

kapiteen

Zahnarzt

cafroowo ƴiiƴe

Wissenschaftler

miijotooɗo

Rabbi

kellifaaɗo diine to israayel

Imam

imaam

Mönch

muwaan e e ɗemngal farayse

Geistlicher

kellifaaɗo diine heerereeɓe

Werkzeuge
kuutorɗe

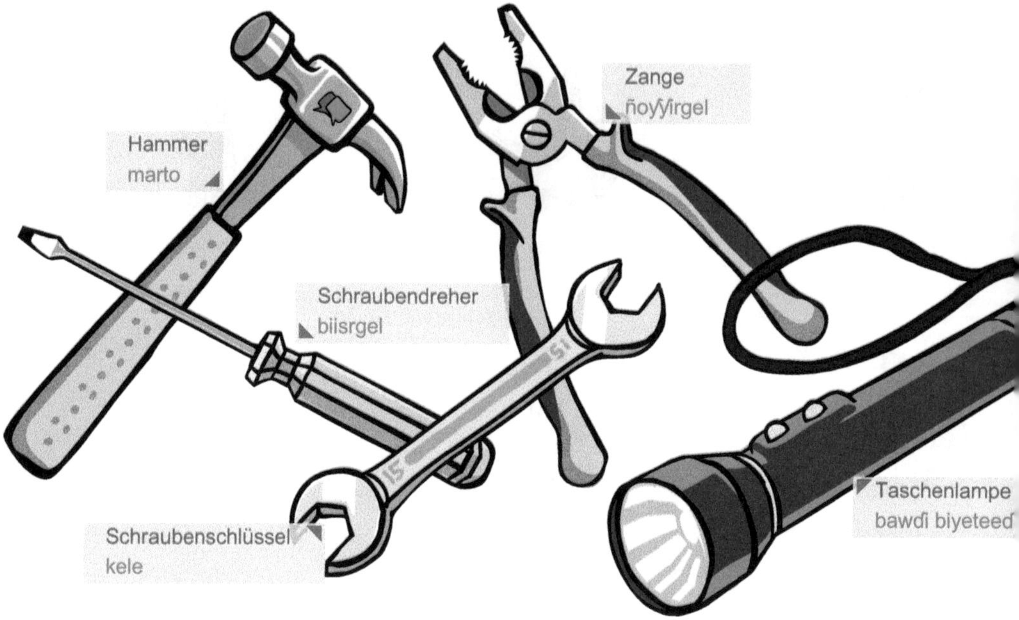

Bagger

pikku

Werkzeugkasten

baxanel kaɓorɗe

Leiter

ŋabbirgal

Säge

tayirgal

Nägel

yiɓirɗe

Bohrer

julirgal

reparieren

fewnitde

Schaufel

nokkirgel

Mist!

Soo!

Kehrblech

ɓoftirgel kurjut

Farbtopf

pot penttiir

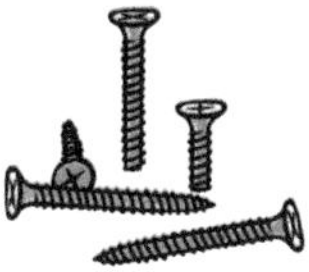

Schrauben

wiisuuji

Musikinstrumente
kongirgon misik

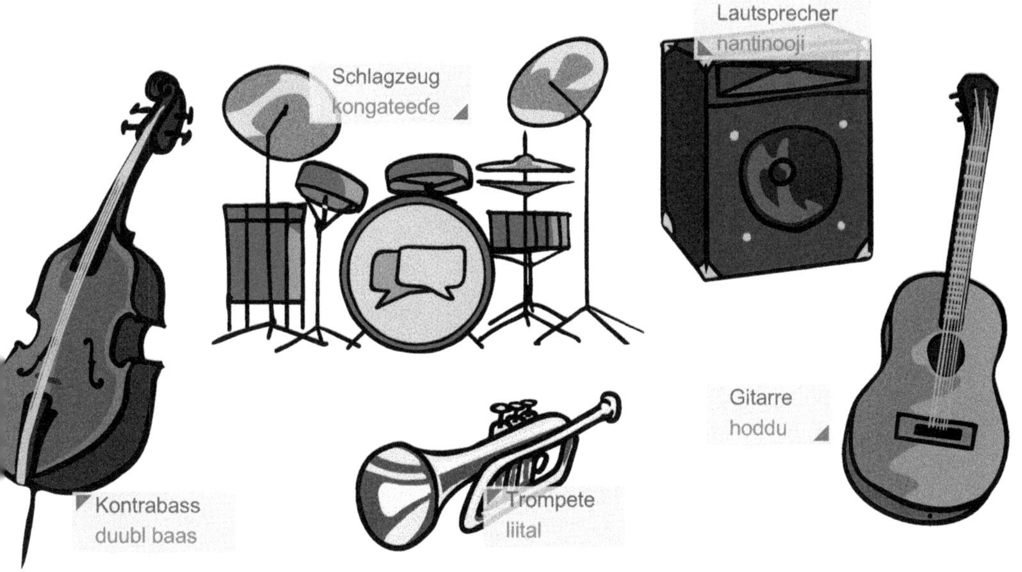

Klavier

piayaano

Violine

wiyolon

Bass

baas

Pauke

bowɗi biyeteeɗi timpani

Trommeln

bawɗi

Keyboard

tappirgal

Saxophon

saksofoon

Flöte

nguurdu

Mikrofon

mikoro

Zoo

nokku kullon

Tiere

kulle

Elefant

ñiiwa

Känguruh

kanguru

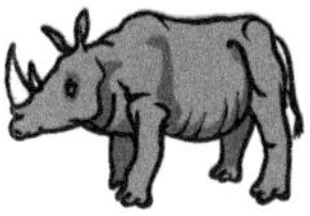

Nashorn

rinoseros

Gorilla

waandu mowndu

Bär

urs

Kamel

ngelooba

Strauß

sundu ɓurndu mownude

Löwe

mbaroodi

Affe

waandu

Flamingo

ñaaral pural

Papagei

seku

Eisbär

urso galaas

Pinguin

liingu wiyeteendu penguwe

Hai

lingu reke

Pfau

ndiwri wiyeteendu pawon

Schlange

laadoori

Krokodil

nooro

Zoowärter

deenoowo zoo

Robbe

togoori ndiyam wiyeteendu fok e farayse

Jaguar

cewngu

Pony

molu

Leopard

cewngu

Nilpferd

ngabu

Giraffe

njabala

Adler

ciilal

Wildschwein

mbabba tugal

Fisch

liingu

Schildkröte

heende

Walross

kullal biyeteengal morse

Fuchs

renaar

Gazelle

lella

Sport

coftal ɓalli

Fußball

Fuggukoyngel

Badminton

badminton

Leichtathletik

atelettuuji

Handball

hanbol

Skilaufen

fijirɗe deggol e nees

Polo

polo

Aktivitäten
golle

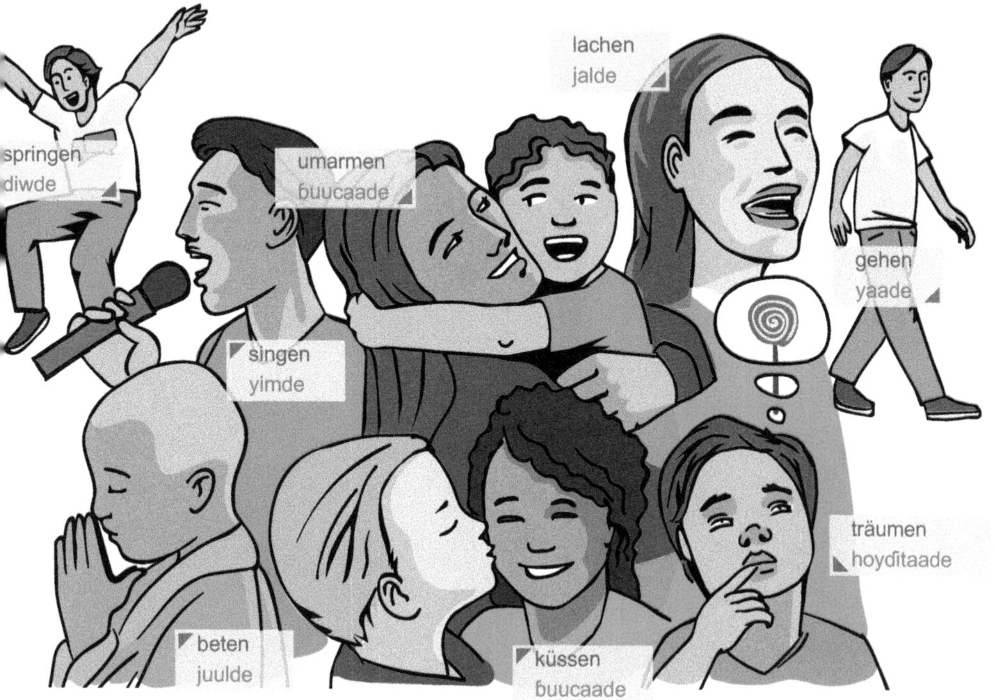

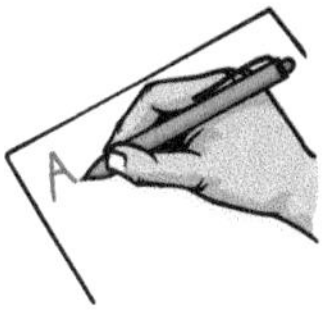

schreiben

windude

zeichnen

siifde

zeigen

hollude

drücken

duñde

geben

rokkude

nehmen

ƴettude

haben

deñde

tun

waɗde

sein

wonde

stehen

ummaade

laufen

dogde

ziehen

fooɗde

werfen

weddaade

fallen

yande

liegen

fende

warten

sabbaade

tragen

roondaade

sitzen

jooɗaade

anziehen

ɓoornaade

schlafen

ɗaanaade

aufwachen

finde

ansehen

ƴeewde

weinen

woyde

streicheln

helde

kämmen

yeesaade

reden

haalde

verstehen

faamde

fragen

naamnaade

hören

heɗaade

trinken

yarde

essen

ñaamde

aufräumen

hawrinde

lieben

yiɗde

kochen

defde

fahren

dognude

fliegen

diwde

segeln

awƴude

rechnen

qimaade

lesen

jangude

lernen

jangude

arbeiten

gollude

heiraten

resde

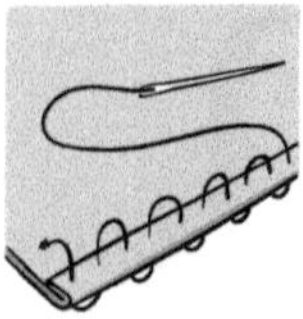

nähen

ñootde

Zähne putzen

soccaade ƴiiƴe

töten

warde

rauchen

simmaade

senden

neldude

Familie

ɓesngu

Gast

koɗo

Tante

goggiraaɗo

Onkel

kaawiraaɗo

Bruder

mowniraaɗo gorko

Schwester

mowniraaɗo debbo

Körper
ɓandu

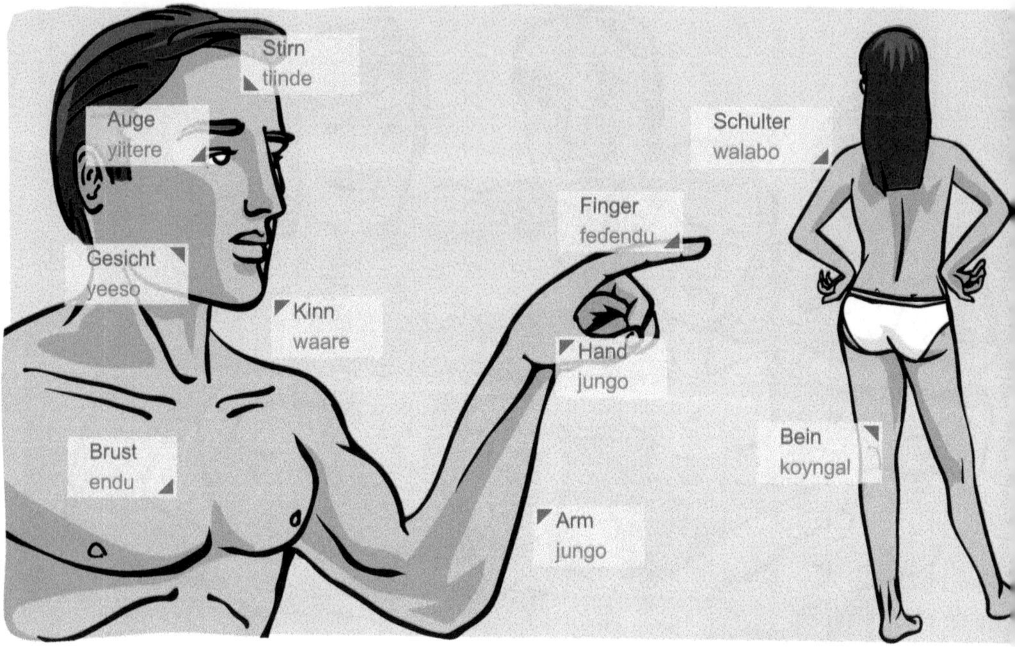

Baby
tiggu

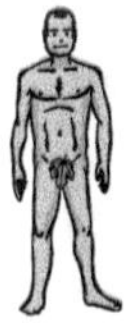
Mann
gorko

Frau
debbo

Mädchen
deftere kongoli

Junge
suka gorko

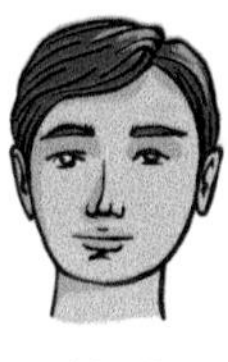
Kopf
hoore

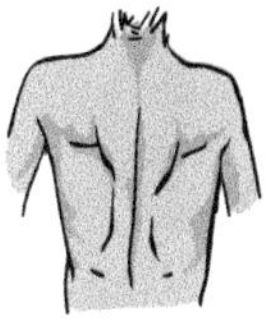

Rücken

keeci

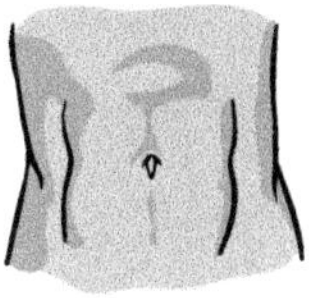

Bauch

reedu

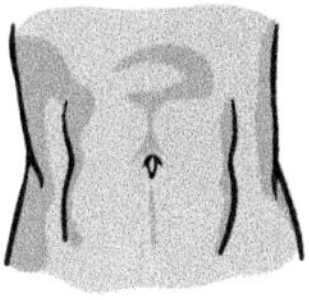

Nabel

wuddu

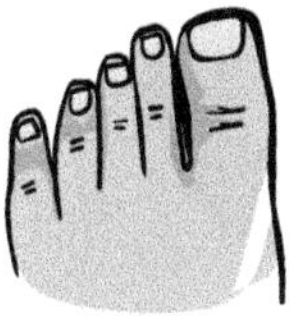

Zeh

feɗendu koyngal

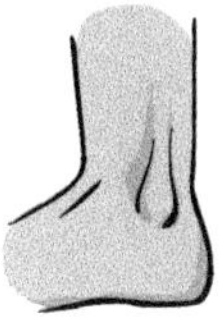

Ferse

jaɓɓorgal

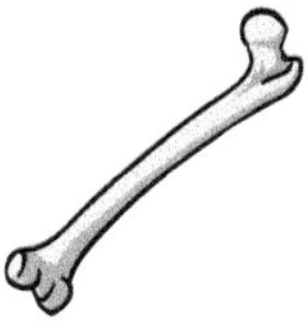

Knochen

ƴiyal

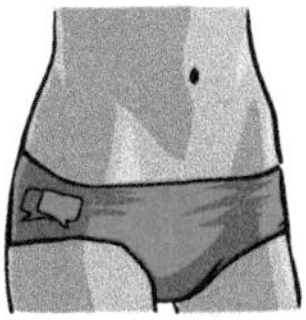

Hüfte

rotere

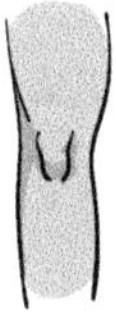

Knie

hofru

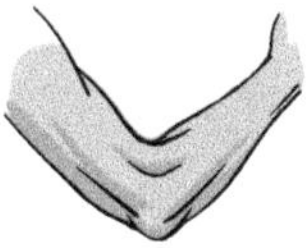

Ellenbogen

salndu junngu

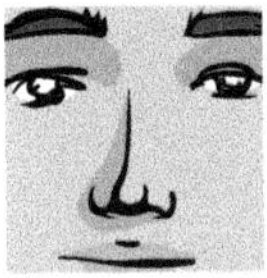

Nase

hinere

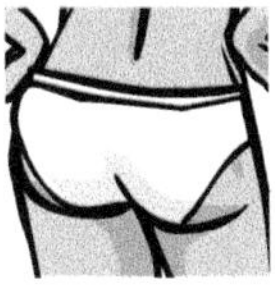

Gesäß

dote

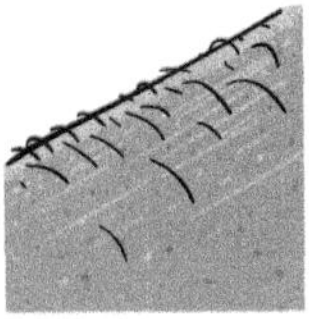

Haut

nguru

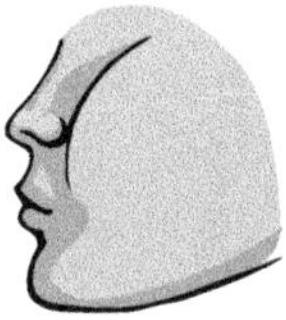

Wange

aɓɓulo

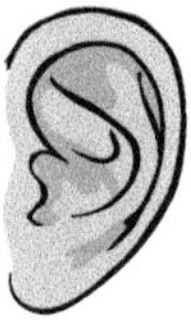

Ohr

nofru

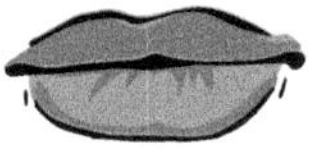

Lippe

tonndu

Mundhunuko

Zahn

ñiire

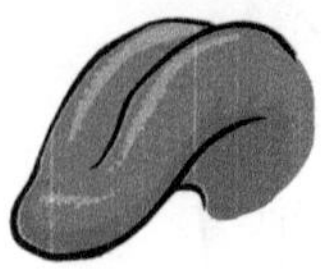

Zunge

ɗemngal

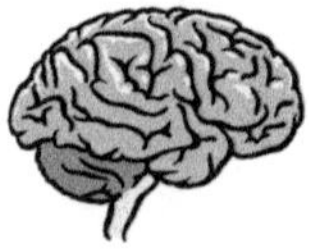

Gehirn

ngaandi

Herz

ɓernde

Muskel

yíyal

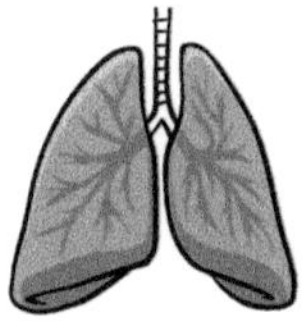

Lunge

wecco

Leber

heeñere

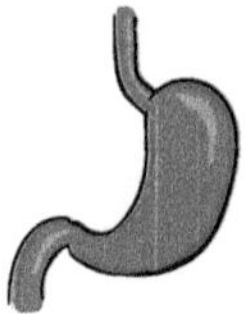

Magen

estoma

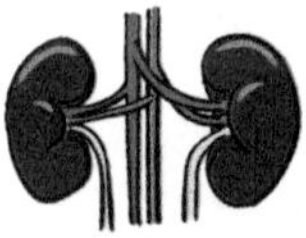

Nieren

tekteki mawni

Geschlechtsverkehr

terɗe

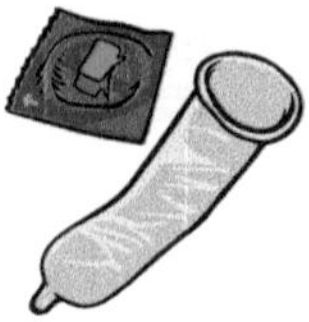

Kondom

laafa ndeenka

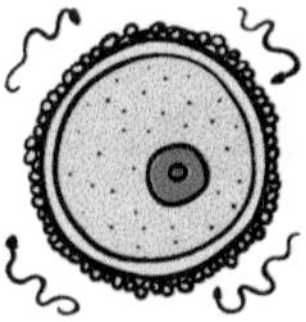

Eizelle

ɓoccoonde maniya

Sperma

maniya

Schwangerschaft

reedu

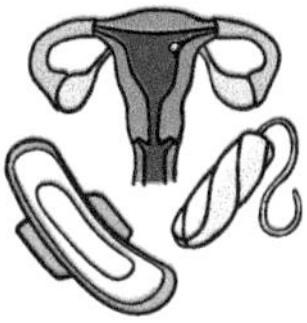

Menstruation

ƴiiƴam ella

Vagina

farja

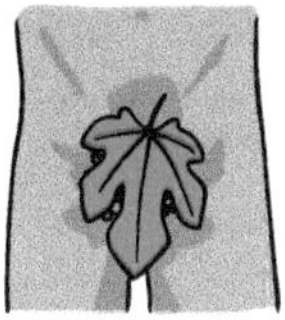

Penis

kaake

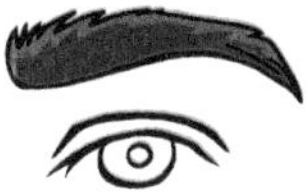

Augenbraue

leeɓi dow yiitere

Haar

sukunndu

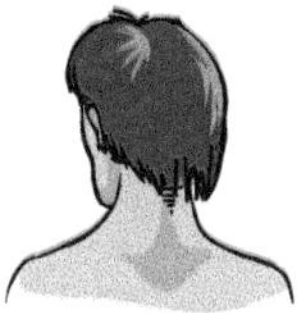

Hals

daande

Krankenhaus
suudu safirdu

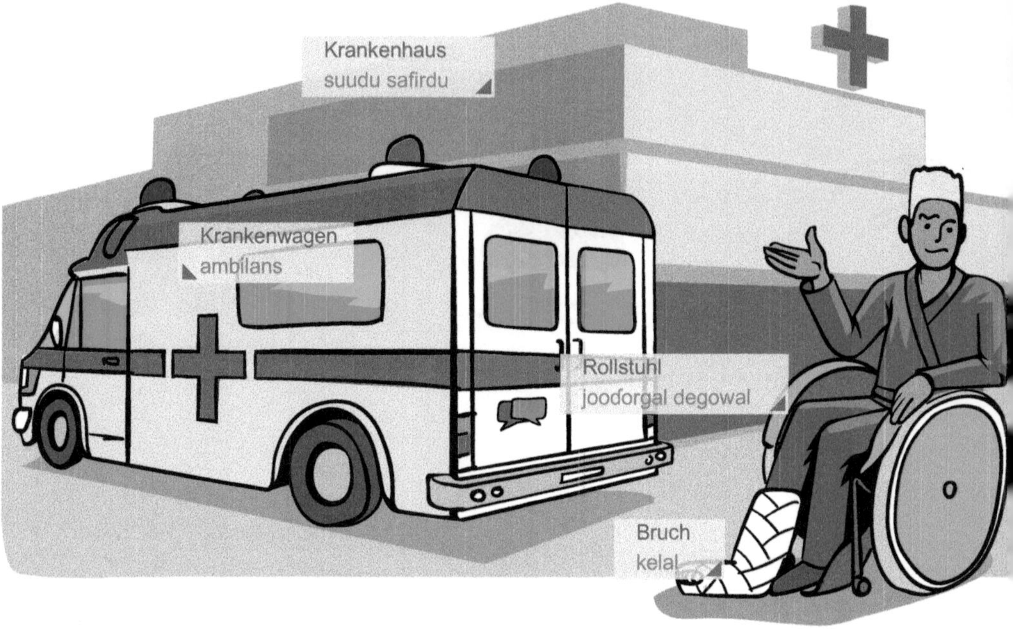

Arzt

cafroowo

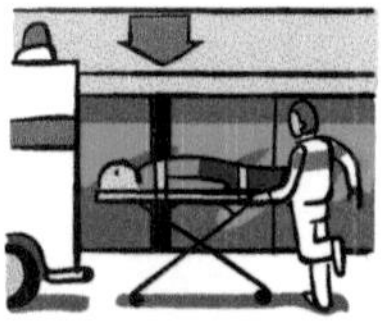

Notaufnahme

suudo irsaans

Krankenschwester

cafroowo

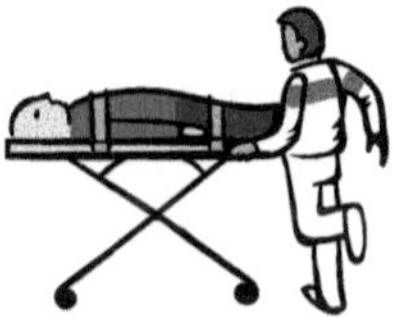

Notfall

irsaans

ohnmächtig

paɗɗiiɗo

Schmerz

muuseeki

Verletzung

gaañande

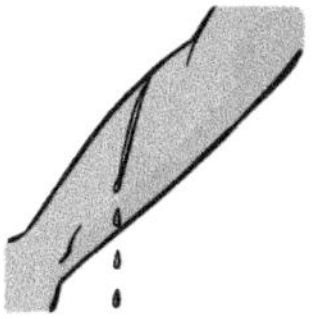

Blutung

tuyƴude

Herzinfarkt

ɓernde dartiinde

Schlaganfall

darogol ɓernde

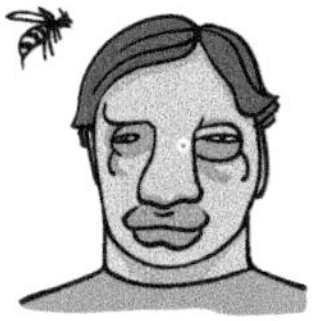

Allergie

alersi

Husten

ɗojjugol

Fieber

nguleeki ɓandu

Grippe

maɓɓo

Durchfall

reedu dogooru

Kopfschmerzen

muuseeki hoore

Krebs

kanser

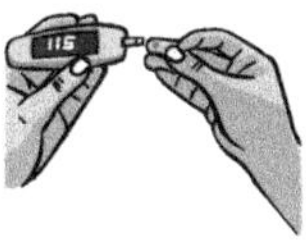

Diabetis

jabet

Chirurg

operasiyon

Skalpell

ceekirgel

Operation

operasiyon

CT

CT

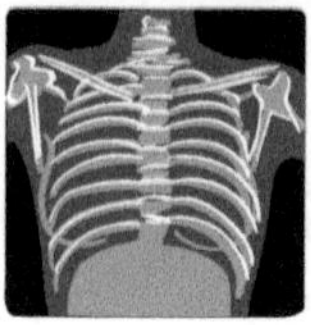

Röntgen

reyon-x

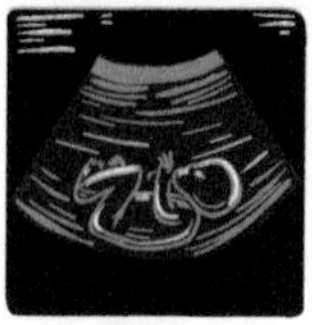

Ultraschall

iltarason

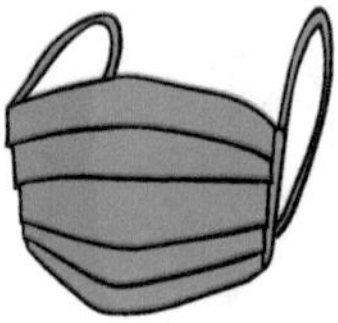

Maske

mask yeeso

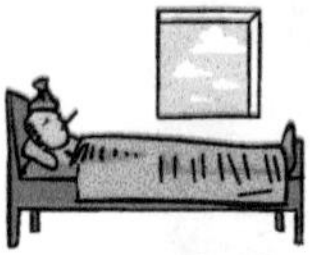

Krankheit

ñaw

Wartezimmer

suudu sabbordu

Krücke

sawru tuggorgal

Pflaster

palatar

Verband

bandaas

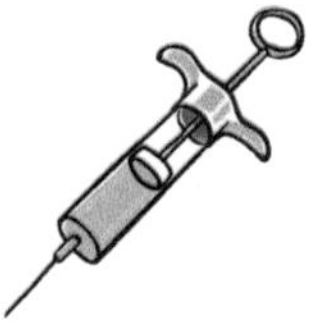

Injektion

pikkitagol

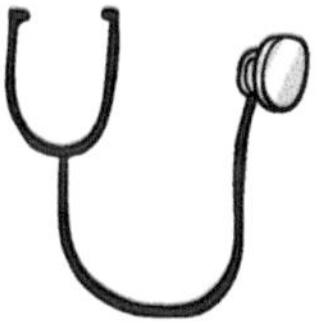

Stethoskop

keɗirgel dille ɓandu

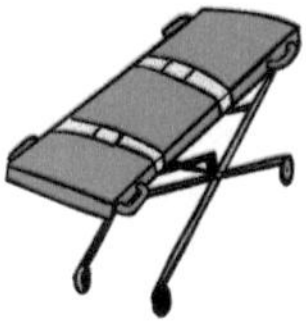

Trage

balankaaru

Thermometer

ɓetirgel nguleeki ɓanndu

Geburt

jibinegol

Übergewicht

ɓandu ɓurtundu

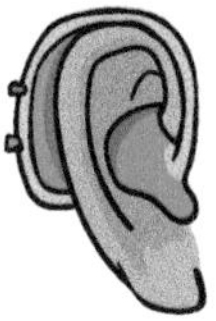

Hörgerät

ɓallotirgel nonooje

Desinfektionsmittel

desefektan

Infektion

infeksiyon

Virus

viris

HIV / AIDS

HIV / SIDA

Medizin

safaara

Impfung

ñakko

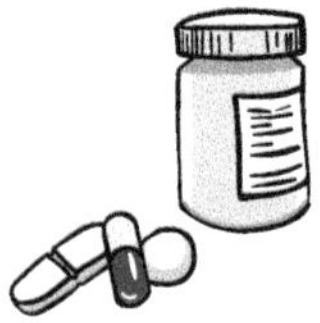

Tabletten

tabletuuji

Pille

foɗɗere

Notruf

oddaango heñoraango

Blutdruck-Messgerät

ɓetirgel dogdu ƴiiƴam

krank / gesund

sellaani / salli

Notfall

irsaans

Hilfe!

Paaboɗe!

Alarm

tintinirgel

Überfall

jangol

Angriff

yande e

Gefahr

musiiba

Notausgang

damal dandirgal

Feuer!

Paaboɗe!

Feuerlöscher

ñifirgel jeynge

Unfall

aksida

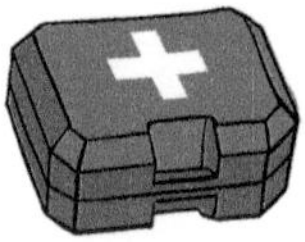

Erste-Hilfe-Koffer

geɗe cafrorɗe gadane

SOS

BALLAL

Polizei

Polis

Erde
Leydi

Europa

Erop

Nordamerika

Amerik to Rewo

Südamerika

Amerik to Worgo

Afrika

Afiriki

Asien

Asi

Australien

Ostarali

Atlantik

Atalantik

Pazifik

Pasifik

Indischer Ozean

Oseyan Enje

Antarktischer Ozean

Oseyan Antarktik

Arktischer Ozean

Osean Arkatik

Nordpol

Bange Rewo

Südpol

Bange Worgo

Antarktis

Antarktik

Erde

Leydi

Land

leydi

Meer

maayo mawngo

Insel

wuro nder ndiyam

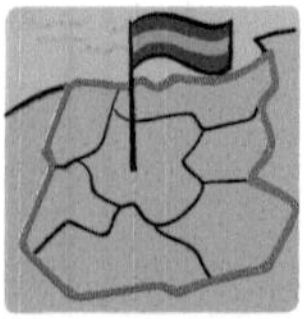

Nation

leydi

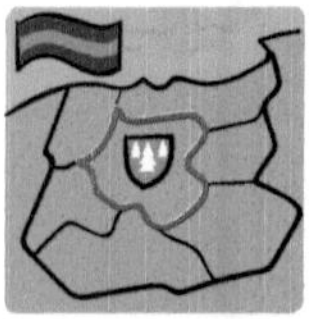

Staat

jamaanu

Uhr
montoor

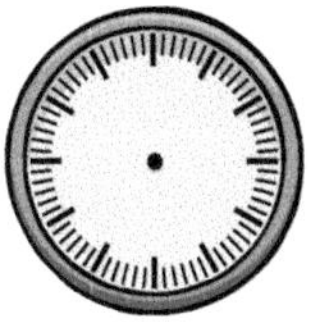

Zifferblatt

yeeso montoor

Stundenzeiger

misalel waqtu

Minutenzeiger

misalel hojomaaji

Sekundenzeiger

misalel majanɗe

Wie spät ist es?

Hol waqtu jonɗo?

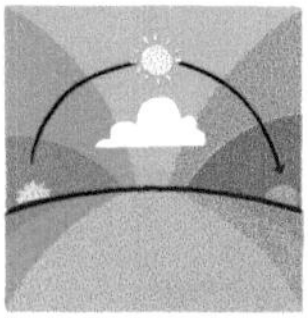

Tag

ñalawma

Zeit

saha

jetzt

jooni

Digitaluhr

montoor disitaal

Minute

hojom

Stunde

waqtu

Woche

yontere

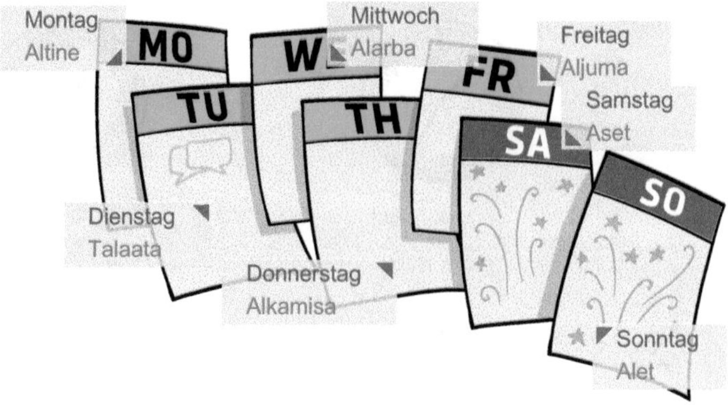

gestern

hanki

heute

hande

morgen

jango

Morgen

subaka

Mittag

beetawe

Abend

kikiiɗe

Arbeitstage

ñalawmaaji golle

Wochenende

ñalamaaji fooftere

Jahr
hitaande

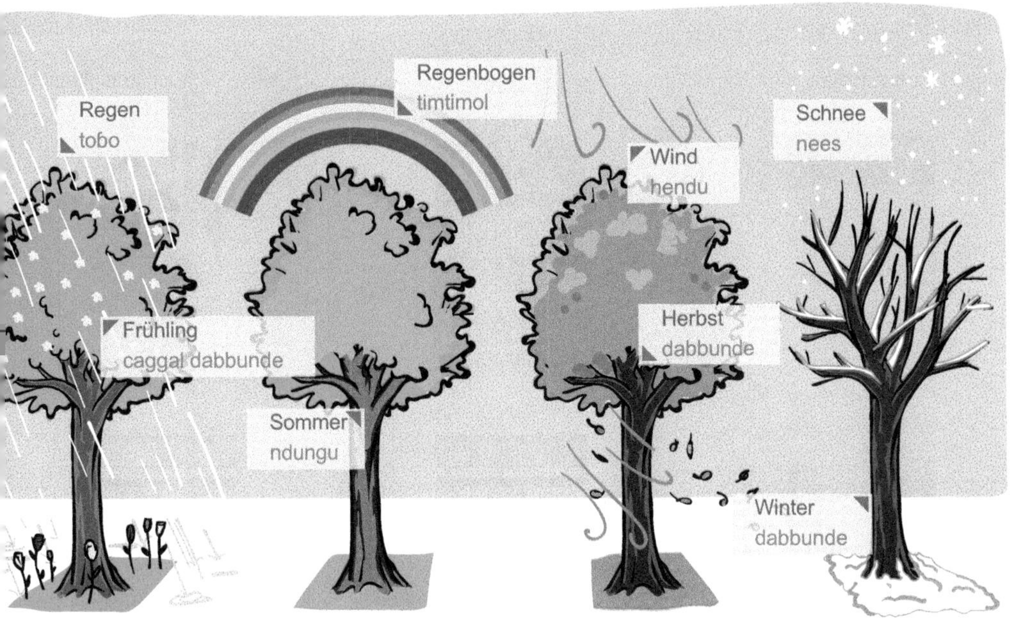

Wettervorhersage

kabrugol gede weeyo

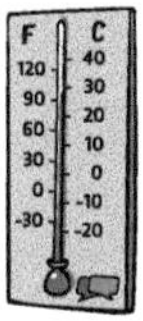

Thermometer

betirgal nguleeki

Sonnenschein

nguleeki naange

Wolke

duulal

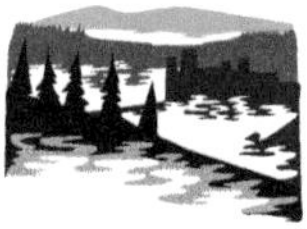

Nebel

nibbere niwri

Luftfeuchtigkeit

buubol

Blitz

majaango

Donner

gidango

Sturm

hendu yaduungo e gidaali

Hagel

toɓo mawngo

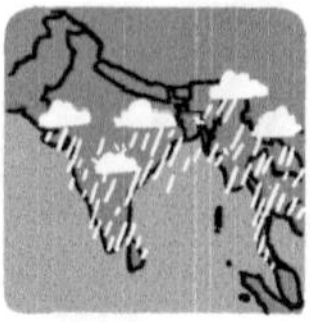

Monsun

keneeli mawɗi

Flut

toɓo yooloongo

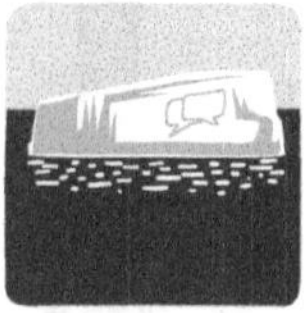

Eis

galaas

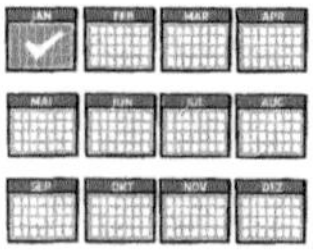

Januar

Janwiye

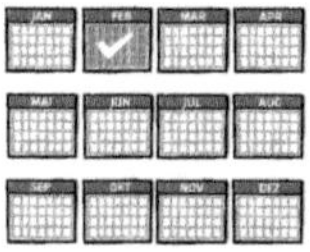

Februar

Feeviriye

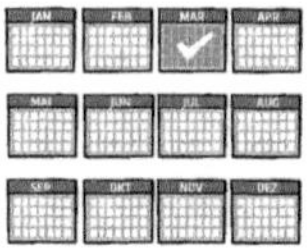

März

Mars

April

Awril

Mai

Me

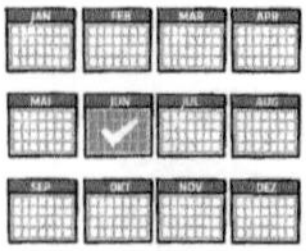

Juni

Suwe

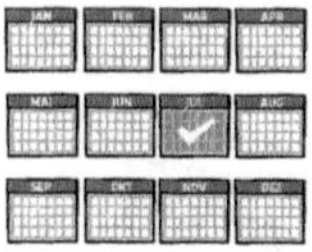

Juli

Suliye

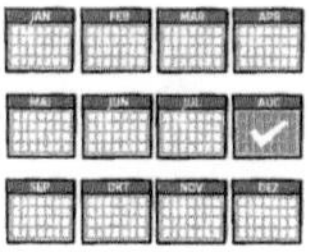

August

Ut

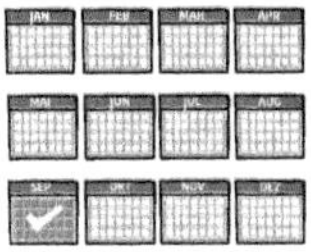

September

Setanbar

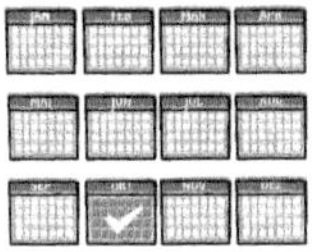

Oktober

Oktobar

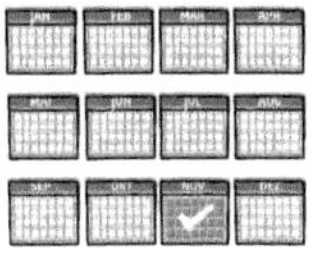

November

Noowambar

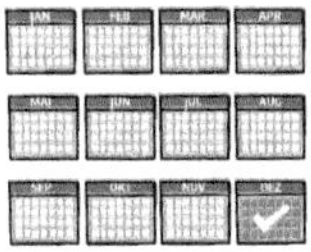

Dezember

Desambar

Formen

Mbaadi

Kreis

taariɗum

Quadrat

bangeeji potɗi

Rechteck

rektangal

Dreieck

tiriyangal

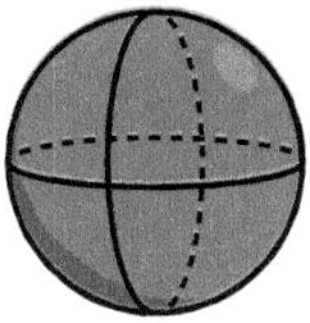

Kugel

esfeer

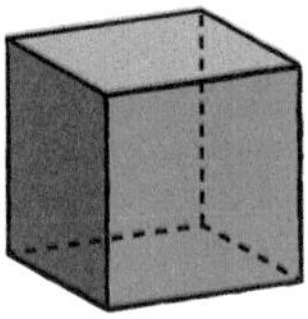

Würfel

kib

Farben
kuloraaji

weiß

deneejo

gelb

puro

orange

oraas

pink

roos

rot

boɗeejo

lila

yolet

blau

bulaajo

grün

werte

braun

baka

grau

giri

schwarz

ɓaleejo

Gegenteile
ceertuɗe

viel / wenig

heewi / famɗi

wütend / friedlich

mittinɗo / deeyɗo

hübsch / hässlich

yooɗi / soofi

Anfang / Ende

fuɗɗorde / gasirde

groß / klein

mawni / famɗi

hell / dunkel

leeri / ɗiɓɓiɗi

Bruder / Schwester

awniraaɗo gorko / debbo

sauber / schmutzig

laaɓi / tulmi

vollständig / unvollständig

timmi / manki

Tag / Nacht

ñalawma / jamma

tot / lebendig

mayi / wuuri

breit / schmal

yaaji / ɓitti

genießbar / ungenießbar

ñaame / ñaametaake

böse / freundlich

bonɗum / moƴƴi

aufgeregt / gelangweilt

weelti / deeƴi

dick / dünn

ɓutto / cewɗo

zuerst / zuletzt

gadiiɗo / cakkitiiɗo

Freund / Feind

sehil / gaño

voll / leer

heewi / ɓolɗi

hart / weich

tiiɗi / hoyi

schwer / leicht

teddi / hoyi

Hunger / Durst

heege / ɗomka

krank / gesund

sellaani / salli

illegal / legal

dagaaki / dagi

intelligent / dumm

ƴoƴi / ƴiƴaani

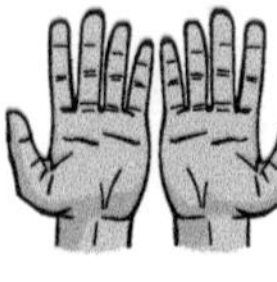

links / rechts

ñaamo / nano

nah / fern

ɓadi / woɗɗi

neu / gebraucht

keso / kiiɗɗo

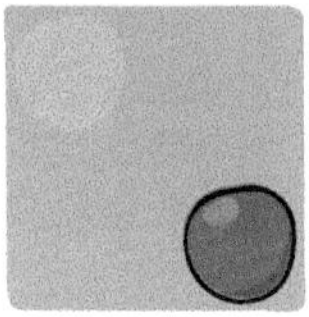

nichts / etwas

haydara / huunde

alt / jung

nayeeji / suka

an / aus

ne heen / ala heen

offen / geschlossen

udditi / uddi

leise / laut

deeyi / dilla

reich / arm

galo / baasɗo

richtig / falsch

feewi / feewaani

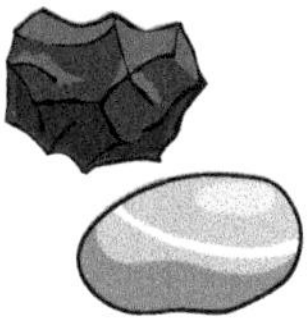

rau / glatt

tekki / ɗaati

traurig / glücklich

suni / weelti

kurz / lang

daɓɓo / jutɗo

langsam / schnell

leeli / yaawi

nass / trocken

leppi / yoori

warm / kühl

wuli / ɓuuɓi

Krieg / Frieden

hare / jam

Zahlen
limorɗe

0	1	2
null	eins	zwei
meere	goo	ɗiɗi
3	4	5
drei	vier	fünf
tati	nay	joy
6	7	8
sechs	sieben	acht
jeegom	seeɗiɗi	jeetati
9	10	11
neun	zehn	elf
jeenay	sappo	sappo e goo

12	**13**	**14**
zwölf	dreizehn	vierzehn
sappo e ɗiɗi	sppo e tati	sappo e nay
15	**16**	**17**
fünfzehn	sechzehn	siebzehn
sappo e joy	sappo e jeegom	sappo e jeeɗiɗi
18	**19**	**20**
achtzehn	neunzehn	zwanzig
sappo e jeetati	sappo e jeenay	noogas
100	**1.000**	**1.000.000**
hundert	tausend	million
teemedere	ujunere	miliyonŋ

Sprachen
ɗemɗe

Englisch

Angale

Amerikanisches Englisch

Angale Amerik

Chinesisch Mandarin

Mandare Siin

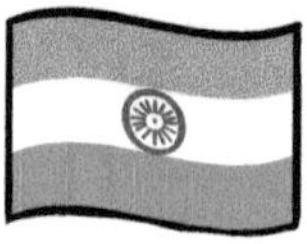

Hindi

Indo

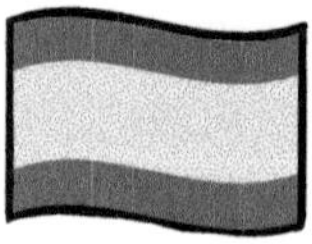

Spanisch

Español

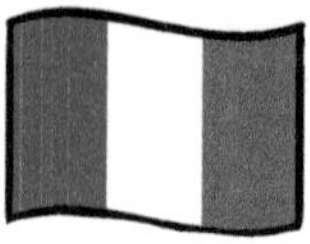

Französisch

Farayse

Arabisch

Arab

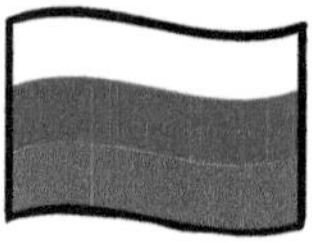

Russisch

Riis

Portugiesisch

Portige

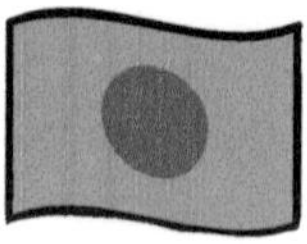

Bengalisch

Bengali

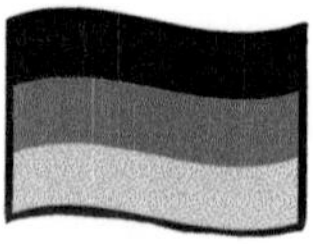

Deutsch

Alma

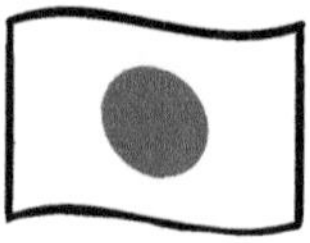

Japanisch

Sappone

wer / was / wie

holi oon / hol ɗum / no

ich

miin

du

ann

er / sie / es

kanŋko / kanŋko / kañum

wir

minen

ihr

onon

sie

kamɓe

wer?

holi oon?

was?

hol ɗum?

wie?

hol no?

wo?

hol toon?

wann?

mande?

Name

innde

wo

hol toon

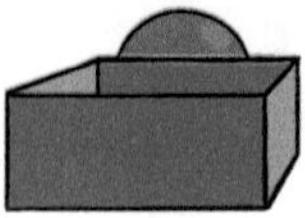

hinter

caggal

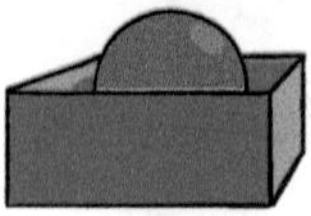

in

nder

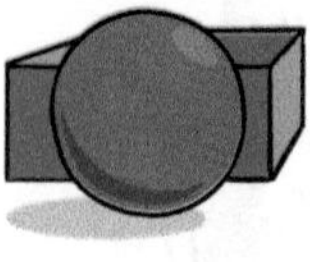

vor

yeeso

über

hedde

auf

dow

unter

les

neben

sara

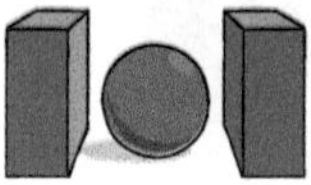

zwischen

hakkunde

Ort

nokku